*de Kazman
à François, Julland
le 8/6/07*

génération

Y

Attirer,

motiver et

conserver les

jeunes talents

Posteritas
1275, du Boisé
Boucherville (Québec)
J4B 8W5

Téléphone : (514) 567-3664
Télécopieur : (450) 449-0304

www.posteritas.ca
ssimard@posteritas.ca

Conception graphique et mise en page : Marilou Régimbal, Pazapa
Illustrations : Randy Glasbergen et Marilou Régimbal
Photographie : Julie Robillard
Impression : Marquis imprimeur
Publié par Viséo Solutions
Distribué par Iris Diffusion (Béliveau Éditeur)

ISBN 978-2-9809681-1-2

Imprimé au Canada
© Viséo Solutions, 2007
Dépôt légal – 2ème trimestre 2007
Bibliothèque nationale et archives du Québec
Bibliothèque nationale et archives du Canada

À Aurélie, Émile, Antoine et leurs futurs collègues et patrons.

Je vous souhaite l'emploi de vos rêves qui vous permettra de vivre votre passion au quotidien.

Remerciements

Merci à mes enfants Aurélie, Émile et Antoine pour avoir tout changé.

À Nathalie Regimbal, la meilleure diététiste-nutritionniste au monde, pour participer activement à cette vie sans filet.

À mes parents, André Simard et Georgette Murray pour m'avoir fourni les outils pour aller plus loin.

À Jean-Pierre Routhier, mon mentor, pour avoir fait jaillir en moi celui qui a une mission à accomplir.

À Ginette Lamarche pour ton écoute, tes encouragements et la magie de tes mots.

À Kazimir Olechnowicz (CIMA+), Pierre Marc Tremblay (Pacini), Michel Labrecque (CMP), Diane Quimper (Vézina Dufault), Carmela Rubiano (Ivanhoé Cambridge) et Pierre Coulombe pour votre générosité à partager l'excellence de votre savoir-faire en gestion des ressources humaines.

À Guilaine Ouelette, Jacques Busque, Isabelle Lefebvre et Sylvie Coulombe pour vos commentaires constructifs et vos remarques judicieuses.

À Deborah Moyses, Karl Olechnowicz, Ian Olechnowicz, Sophie Desgroseillers, Martin Gernsheimer, Julie Lapointe, Sophie-Lee Emard, Marie-Hélène Morais, Mathieu Gagnon et Sacha Girard pour avoir gentiment accepté de lever le voile sur vos secrets générationnels.

À Marilou Régimbal (Pazapa) pour ton magnifique travail de design graphique.

À Richard Tanguay (Vision Synergie) pour l'efficacité du site Internet.

À Mathieu Béliveau, Raymond Dufresne et Pierrette Brière (Béliveau Éditeur) pour votre confiance et la puissance de votre diffusion.

À Martin Sirois, Léonard Mazerolle, Clément Ducharme, Candice Leduc Robertson, Paul Rousseau, Toni Newman, Bernard Landreville, Britta Heintzen, André Hogue, Monique Lamoureux, Yvan Bourgault, Rose Laterreur, Alain Poirier, Patrice Asselin, Pierre Giguère, Frédéric Houde, Benoît Gendron, Alain Savaria, Serge Therrien, Martin Latulippe, Steve Lauzon, Michel Poirier, Marc St-Pierre, Daniel Giguère, Suzanne Dauphin, Marc Dumaine, Jean-Marc Paquet, Jean-Pierre Fry, Julie Roussel, Sophie Deslauriers, Charles Morin, Hervé Mary, Aline Mary, France Paquette, Hélène Henry, Marie-Joanne Trottier, Julie Nachou, Julie Ripeau, Frédérik Boivin, France Couture, Laurence Steck, Carole Nadeau, Brigitte Banville, Louise Ducharme, Gratien Beauchemin, Philip Lacoursière, Nathalie Dignard et Guylène Lauzon pour vos idées.

Table des matières

Introduction

Il y a présentement cinq travailleurs pour chaque retraité au Québec. En 2030, il n'y en aura plus que deux. Espérons que l'un des deux ne travaillera pas au noir et que l'autre ne tombera pas malade... Déjà que nous sommes la province la plus endettée au pays et celle qui affiche le taux de croissance économique le plus faible depuis 10 ans, comment espérons-nous pouvoir assurer l'avenir des prochaines générations? En augmentant les impôts de 250%? En sabrant dans les dépenses de l'État en santé et en éducation? En travaillant plus fort? Non, en travaillant différemment.

Le leadership c'est l'art de faire faire à quelqu'un quelque chose que vous voulez voir fait, parce qu'il a envie de le faire (Dwight David Eisenhower). D'après plusieurs études, la proportion des gens malheureux au travail varie entre 30% et 80% selon la question qui est posée et la provenance de l'échantillonnage. Comme gestionnaire, vous souhaitez amener vos employés de la génération Y à faire ce que vous voulez voir fait. L'idéal est qu'ils aient envie de le faire (même si ce n'est pas nécessairement à votre manière). Votre plus grand défi, à titre de gestionnaire et de professionnel des ressources humaines, est de réussir l'arrimage entre les passions des jeunes candidats talentueux et les vôtres.

Découvrons comment vous pouvez relever avec succès le défi colossal de créer un milieu de travail vibrant, enrichissant et performant. Notre parcours s'échelonnera en 7 étapes.

Nous observerons d'abord le portrait des éléments en jeu. Pour ce faire, nous allons illustrer le contexte économique dans lequel nous évoluons actuellement et d'où nous retiendrons quatre points importants: la concurrence mondiale féroce, la position précaire du Québec, la pénurie de main-d'œuvre qualifiée et l'absentéisme en progression.

Ensuite, nous allons dresser le portrait de nos compagnons de voyage, soit le profil de la génération Y, où nous allons aborder six thèmes importants: le choc des valeurs, le temps c'est plus que de l'argent, une structure organisationnelle évolutive, l'esprit de famille, bye bye boss, bonjour mentor et l'agent libre.

Puis nous allons nous inspirer des meilleures pratiques des entreprises récipiendaires de prix d'excellence en gestion des ressources humaines pour identifier les bagages nécessaires pour atteindre notre destination. Nous allons y aborder trois thèmes: se faire voir, la rémunération globale et le plan personnel de croissance.

Quatrièmement, nous allons effectuer nos préparatifs d'avant voyage: déterminer le profil des talents recherchés. Pour se faire, nous allons nous attarder à cinq thèmes: cerner les valeurs du groupe, se rallier à une mission commune, partager la même vision d'avenir, déterminer les talents nécessaires et éviter les erreurs coûteuses.

Cinquièmement, nous allons apprendre à connaître les désirs de l'employé. Dans ce but, nous allons prendre soin d'établir une relation de confiance, pour parcourir ensuite un questionnement qui nous permettra de nous mettre à son écoute.

Par la suite, nous allons aborder l'importance de bien définir le plan d'action de l'employé, avant de s'engager dans une direction, à l'aide de deux thèmes: les 4 roues de l'engagement et comment sceller l'engagement.

Finalement, nous verrons quelles sont nos aides à la navigation pour maintenir le cap, le support, autour de 11 thèmes: l'assistance routière (l'accessibilité), les mises au point (le partenariat), en cas de sousperformance, la progression latérale, la garantie prolongée (l'entretien), la puissance du coaching, les 10 comportements d'un super équipier, les 3 étapes de préparation pour une réunion efficace, l'évaluation d'une réunion, nos alliés à l'interne et la démonstration de sa reconnaissance.

Confrontée à une concurrence mondiale féroce, une pénurie criante de main-d'œuvre qualifiée et des départs massifs à la retraite, la survie des entreprises québécoises dépend plus que jamais d'employés passionnés, responsables et créatifs. Des rencontres avec des dirigeants d'entreprises performantes et des entrevues de jeunes employés m'ont permis de dégager un "how to" gagnant, un mode de gestion relationnel efficace. Agissons vite avant qu'il ne soit trop tard…

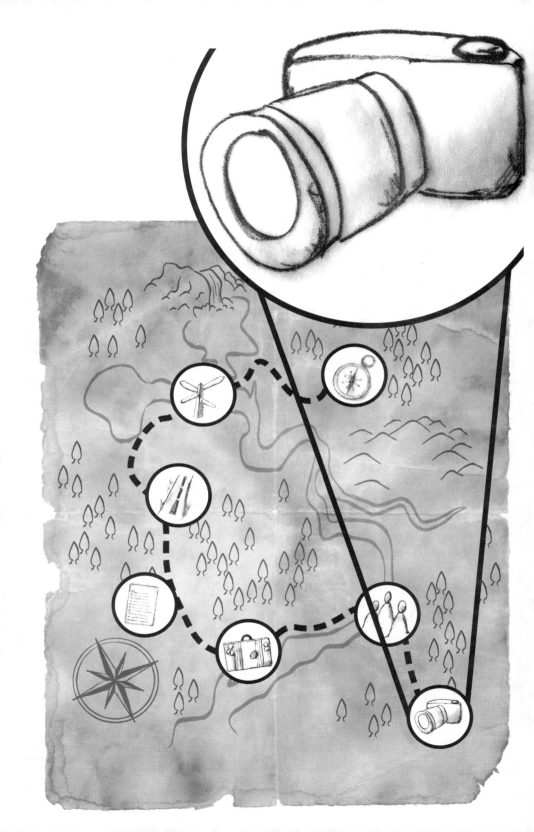

I Le point de départ

Portrait du contexte économique actuel

Pour amorcer ce parcours, observons d'abord notre point de départ : le contexte économique actuel où nous retiendrons quatre points importants : la concurrence mondiale féroce, la position précaire du Québec, la pénurie criante de main-d'œuvre qualifiée et l'absentéisme aux proportions alarmantes.

« TON IPOD FONCTIONNE TRÈS BIEN, PAPA. IL EST SEULEMENT EMBARRASSÉ DE JOUER LA MUSIQUE QUE TU AIMES. »

Le temps règle tous les problèmes mais il en ajoute aussi quelques-uns durant le processus.

- Richard J. Needham

1| La concurrence mondiale féroce

Imaginez un instant que vous êtes un jeune de 18 ans. Vous voulez poursuivre des études universitaires dans un domaine qui vous passionne et pour lequel vous débordez de talents. Vous maîtrisez l'anglais, vous êtes mobile et ouvert sur le monde. Deux choix s'offrent à vous. Soit une première institution d'enseignement avec des classes surpeuplées, qui n'a pas les ressources pour retenir leurs meilleurs professeurs et où vous êtes considéré comme un vulgaire numéro. Soit une deuxième université avec un campus moderne doté d'une immense piscine creusée avec bains tourbillons, qui offre gratuitement des boissons et de la crème glacée tous les vendredis, où vous avez eu le privilège de rencontrer le directeur en tête-à-tête lors de votre première visite et qui vous a offert une boîte de chocolats Godiva avec votre lettre d'acceptation signée de sa main. Quelle école choisiriez-vous ? Vous pensez que ce dernier exemple est tiré d'un conte de fées ? Détrompez-vous. J'ai eu le privilège d'assister à une présentation de Nido Qubein, célèbre consultant et conférencier américain, qui vantait les mérites de High Point University dont il est le président. J'ai été stupéfait de découvrir comment on prépare les américains à la société de demain et en même temps très bouleversé en constatant l'écart avec ce qui se fait ici.

Imaginez maintenant que vous avez 30 ans. Vous êtes au printemps d'une carrière professionnelle que vous voulez très florissante. Vous voulez bientôt fonder une famille et offrir à vos enfants le meilleur contexte qui soit pour favoriser leur plein développement. Vous avez deux options. La première possibilité consiste à vous installer dans une région fortement endettée, à la croissance économique plus faible que la moyenne et aux prises avec un fort déclin démographique. La deuxième option est de vous établir dans une région dynamique en plein essor économique et possédant les moyens de se doter des meilleures infrastructures pour les générations à venir. Où iriez-vous?

Lorsqu'on se place du point de vue des jeunes en début de carrière et qui ne possèdent pas encore trop d'attaches au Québec, on comprend facilement leur intérêt à vouloir s'exiler. Honnêtement, moi aussi j'y songe parfois…

Le conférencier et physicien Pierre Morency, dans son excellent livre *La puissance du marketing révolutionnaire*, mentionne que deux choix s'offrent à une entreprise pour prospérer: offrir du haut de gamme à des clients qui en ont les moyens ou miser sur le volume. Au Québec, ni l'un ni l'autre n'est possible. Combien de jeunes et d'entrepreneurs se privent d'opportunités de croissance par manque de connaissance de la langue ou de la culture américaine (le marché le plus important de la planète)? Combien ne peuvent accéder aux meilleurs postes ou aux connaissances les plus récentes par leur incapacité à communiquer dans la langue planétaire des affaires? Si nous voulons retenir nos jeunes talentueux et assurer l'avenir des prochaines générations, il faut s'outiller pour concurrencer nos voisins (le reste du globe) et la maîtrise de l'anglais en fait partie. Je n'ai rien contre la langue et la culture française, j'ai déjà été professeur de français, mais ce n'est pas en se «ghettoïsant» que l'on va survivre. À nous de nous outiller pour saisir les opportunités que la globalisation offre au Québec plutôt que de vouloir nous isoler et nous protéger d'un mouvement inévitable.

Selon le Forum économique mondial, le Canada est passé du 5ème au 17ème rang en termes de productivité de 1973 à 2004 parmi les 23 pays membres de l'OCDE.

La mondialisation des marchés, cela signifie l'arrivée de 1,5 milliards nouveaux travailleurs sur le marché de l'emploi avec des salaires impossibles à concurrencer en Occident. Selon le journal Les Affaires, le salaire quotidien d'un ouvrier indien avoisine 2$ US et celui d'un chinois se situe entre 4 et 8$ US. D'après la même source, le salaire moyen d'un ingénieur indien en informatique tourne autour de 12 000$ à 14 000$ après six ans. Et n'allez surtout pas croire que ce qui se fabrique en Inde ou en Chine soit nécessairement du bas de gamme. De plus en plus, ces pays investissent massivement dans les secteurs des technologies de l'information, de la santé et de l'éducation. D'après un autre article paru dans le journal *Les Affaires*, l'éducation scolaire des enfants est la dépense numéro un des familles chinoises, avant le logement ou les coûts de la retraite. Il n'y a plus personne de protégé comme avant. J'ai récemment assisté à une présentation de Henri-Paul Rousseau, Président et Chef de la direction de la Caisse de dépôt et placement du Québec, sur le thème de la globalisation : « L'Occident constitue 15 % de la population et tous les autres, donc, comptent pour 85 % des êtres humains. Leur PIB se situe entre 25 % et 35 %, selon la façon dont on le mesure. En gros, nous avons 75 % de la richesse et eux, ils en ont 25 %. Une telle situation est insoutenable, voire inéquitable, et elle annonce des changements profonds. »

www.highpoint.edu
www.nidoqubein.com
www.pierremorency.com
www.weforum.org
www.lesaffaires.com

Carnet de route du gestionnaire

Demander à quelques-uns de nos jeunes employés où ils installeraient notre entreprise (n'importe où dans le monde) si on repartait à neuf.

Quelles opportunités la globalisation offre-t-elle à notre entreprise ?

Ne doutez jamais qu'un petit groupe de citoyens sérieux et engagés puisse changer le monde. En fait, c'est la seule chose qui l'ait jamais changé.

- Margaret Mead

2| La position précaire du Québec

Poursuivons notre analyse du contexte économique actuel en observant comment le Québec se positionne sur l'échiquier mondial.

En 2004, selon le ministre des Finances Yves Séguin, le Québec était la province la plus endettée au pays. La dette représentait alors 44% du PIB (le double de l'Ontario). Selon Finances Québec, la dette du Québec est maintenant évaluée à plus de 122 milliards de dollars en 2007. Le service de la dette draine plus de 7 milliards de dollars annuellement, soit plus de 12% des revenus de la province. Lorsqu'on ajoute la dette des réseaux de l'éducation et de la santé, celle de Hydro-Québec, d'autres sociétés d'État et des municipalités, le total atteint 191,7 milliards de dollars. Si la productivité au Québec avait crû au même rythme qu'en Ontario, le niveau de vie aurait été plus élevé de 2 685$ en 2002 au Québec.

Dans un de ses rapports publié en 2006, l'Institut C.D. Howe mentionnait que le Québec est plus pauvre que la moyenne canadienne, qu'il ne parvient pas à retenir ses immigrants en âge de travailler et que son taux de fertilité est le plus bas au Canada.

Selon le Conference Board, la croissance de l'économie mondiale a progressé de plus de 4% en 2006 (pour une 4ème année consécutive) alors que le PIB du Québec a augmenté de 1,9% (moins que la moitié de la vitesse du globe).

Selon l'économiste Claude Picher, des cinq grandes régions du Canada, c'est le Québec qui affiche le taux de croissance économique le plus faible depuis 10 ans. Il ajoute que des 50 États américains, il n'y en a que deux où le niveau de vie est plus bas qu'au Québec. Il mentionne aussi que le taux de chômage au Québec au début de 2007 était de 7,7 % alors qu'il se situait à 5,7 % dans le reste du Canada.

D'après certains analystes cités dans le journal *Les Affaires*, le Québec perdra 90 000 emplois au profit de l'Inde d'ici 2010. Quoi faire dans cette situation ?

> J'ai interviewé le **président-directeur général de CIMA+, Kazimir Olechnowicz** à ce sujet. Récemment honoré par l'École Polytechnique de Montréal de qui il a reçu le titre de docteur Honoris Causa visant à reconnaître la compétence et l'excellence d'une personne dont la brillante carrière est renommée, monsieur Olechnowicz a amené son entreprise à se mériter plusieurs titres prestigieux dont celui de figurer parmi les 50 sociétés les mieux gérées au Canada et celui de s'être classée 1ère et 2ème en 2005 et 2006 parmi les lauréats du prix Défi des meilleurs employeurs du Québec. Pour faire face à la Chine et l'Inde où beaucoup de produits sont copiés, monsieur Olechnowicz insiste sur la nécessité de rester à l'avant-garde en innovant, en étant imaginatif et en faisant preuve de créativité. Pour y arriver, son entreprise investit, entre autres, massivement dans la formation (entre 3 et 4 % de sa masse salariale). Les employés de CIMA+ sont fortement encouragés à rechercher constamment des solutions innovatrices les plus génératrices de valeur ajoutée pour le client. Évidemment monsieur Olechnowicz accorde une grande importance au bien-être de ses employés. Il affirme : « J'aime mieux voir un employé heureux qu'un client heureux, car l'un ne va pas sans l'autre. »

Mettez-vous dans la peau d'un jeune de 25 ans. Voyez l'héritage que l'on laisse à nos jeunes. À la lumière de ce constat, il n'est pas étonnant de voir que les jeunes soient critiques face aux méthodes de gestion actuelles des entreprises. Il est donc évident que nos entreprises doivent trouver des moyens de se revitaliser pour y mobiliser une relève prometteuse.

Carnet de route du gestionnaire

Demander à quelques-uns de nos jeunes employés les 3 premières choses qu'ils feraient s'ils étaient Premier Ministre puis, s'ils étaient le grand patron de l'entreprise.

www.finances.gouv.qc.ca
www.cdhowe.org
www.conference-board.org
www.lesaffaires.com
www.cima.ca
www.canadas50best.com
www.defimeilleursemployeurs.com

3| La pénurie criante de main-d'œuvre qualifiée

Alors que partout dans le monde s'offrent d'énormes possibilités de croissance, nous avons à faire face à un énorme déficit démographique. Bien que cette situation préoccupante soit en nette progression dans les pays industrialisés, le Québec est le 2ème endroit dans le monde où le vieillissement de la population se réalise le plus rapidement selon la Régie des rentes du Québec. Actuellement, des étudiants en formation professionnelle dans certains domaines reçoivent jusqu'à sept offres d'emploi avant même d'avoir terminé leur programme d'études. Les chiffres parlent :

- Au cours de la prochaine décennie, pour chaque deux personnes qui prendront leur retraite, il y aura moins d'une personne pour les remplacer, selon la société Aon.
- 43 % des gens veulent prendre une retraite anticipée alors que seulement 11 % sont prêts à travailler après 65 ans d'après un texte publié dans le journal *Les Affaires*.
- 75 % des entreprises du Québec disent avoir du mal à attirer ou retenir les meilleurs talents.
- Une consultation menée auprès de 137 dirigeants canadiens par le Conference Board du Canada révèle que 80 % d'entre eux reconnaissent que le vieillissement de leur personnel créera des problèmes à leur entreprise d'ici cinq ans et que près de 25 % les vivent déjà.

www.rrq.gouv.qc.ca
www.aon.ca
www.lesaffaires.com
www.conference-board.org

Carnet de route du gestionnaire

Comment notre entreprise peut-elle se positionner avantageusement dans le contexte de rareté de main-d'œuvre spécialisée ?

Je sais que Dieu ne m'imposera rien que je ne puisse surmonter. J'aimerais seulement qu'il n'ait pas autant confiance en moi.

— Mère Teresa

4| L'absentéisme aux proportions alarmantes

Imaginez que vous créez un site Internet pour votre entreprise dans le but de vendre vos services. Vous le mettez en ligne et, instantanément, des centaines de clients de partout dans le monde placent des milliers de commandes. Est-ce réaliste? Bien sûr que non. Les experts de la vente par Internet savent qu'il faut investir beaucoup de ressources pour amener les gens à s'engager dans une relation d'affaires (promotion, positionnement, optimisation, etc.) Alors pourquoi croit-on que, lorsqu'on embauche une personne et qu'on lui assigne une tâche, elle s'engagera immédiatement à consacrer toute son énergie à son travail?

Tout comme le spécialiste de la vente par Internet, le gestionnaire doit consacrer des ressources pour s'assurer que ses employés ne soient pas seulement physiquement présents mais aussi mentalement engagés dans leur travail. Une présence physique peut s'acheter mais le cœur et l'âme d'une personne se gagnent. Le cœur est maître à bord, le corps et la tête sont à son service. Nous explorerons plus loin des manières concrètes de redonner du cœur à l'ouvrage à cette génération de jeunes travailleurs, la plus exigeante de l'histoire, selon plusieurs. Pour l'instant, continuons de tracer le portrait du contexte économique actuel du point de vue de l'absentéisme.

La plus récente analyse de Statistique Canada révèle que le nombre de jours d'absence par travailleur, pour des raisons personnelles, est passé de 7,3 en 1997 à 9,2 en 2004 (+26 %). La situation est pire au Québec où 10,8 jours ont été perdus en 2004, soit 17 % de plus que la moyenne canadienne selon la même source.

Si tu veux rendre un homme heureux, donne-lui un travail. Si tu veux rendre ses enfants heureux, donne-lui un travail qu'il aime.

- Inconnu

Ce n'est que la pointe de l'iceberg. Le présentéisme, c'est-à-dire être physiquement présent au travail sans que l'esprit soit réellement disponible et engagé dans le travail, coûte aux employeurs cinq fois plus cher que l'absentéisme selon une information publiée par l'Ordre des conseillers en ressources humaines et des conseillers en relations industrielles agréés du Québec.

Au Canada, 9,2 jours par année par employé seraient attribuables au présentéisme selon Jean-Pierre Brun de la chaire en gestion de la santé et de la sécurité du travail dans les organisations de l'Université Laval.

D'après Paul Hemp du *Harvard Business Review*, le coût estimé du présentéisme dans les entreprises américaines en 2003 était de 150 milliards de dollars, soit plus que les coûts estimés d'absentéisme.

www.statcan.ca
www.orhri.com
www.ulaval.ca
www.harvardbusinessonline.hbsp.harvard.edu

Carnet de route du gestionnaire

Quels sont les facteurs qui contribuent à augmenter l'absentéisme ou le présentéisme au sein de notre équipe ?

Notre entreprise peut-elle réduire l'impact de ces facteurs ?

Comment nos jeunes employés s'y prendraient-il ?

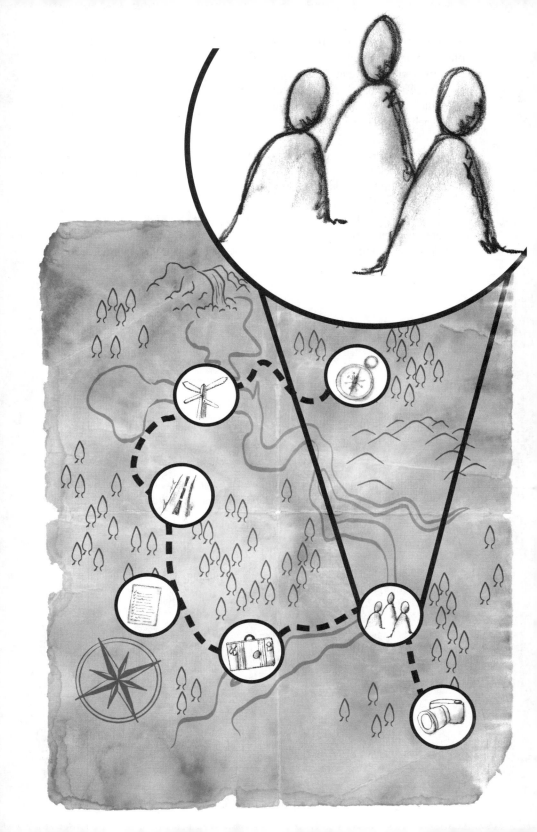

II Les compagnons de voyage

Profil de la génération Y

Pour amorcer notre périple, nous avons d'abord observé notre point de départ : le contexte économique actuel, en 4 points : la concurrence mondiale féroce, la position précaire du Québec, la pénurie criante de main-d'œuvre qualifiée et l'absentéisme aux proportions alarmantes.

Dressons maintenant le portrait de nos compagnons de voyage : le profil de la génération Y où nous aborderons six thèmes importants : le choc des valeurs, le temps c'est plus que de l'argent, une structure organisationnelle évolutive, l'esprit de famille, bye bye boss, bonjour mentor et l'agent libre.

« POUR SE RAPPROCHER DE NOS JEUNES EMPLOYÉS, VOUS DEVEZ RESSEMBLER DAVANTAGE À OZZY OSBORNE. SI VOUS N'ETES PAS PRÊT À CROQUER LA TÊTE D'UNE CHAUVE-SOURIS, VOUDRIEZ-VOUS CROQUER LA TÊTE D'UN LAPIN EN CHOCOLAT? »

Mieux vaut prendre le changement par la main avant qu'il ne nous prenne par la gorge.

— Winston Churchill

5| Le choc des valeurs

Le marché est actuellement très favorable aux chercheurs d'emploi et ces derniers ont des attentes très précises quant à la rémunération, aux horaires de travail et à leur développement personnel et professionnel. Il ne s'agit pas ici de céder à tous les caprices de l'employé roi. Les demandes des jeunes sont tout à fait légitimes et s'avéreront bénéfiques pour l'ensemble de la société, incluant ceux de la génération X. Ces aînés sont souvent frustrés qu'on accorde tout de go aux petits nouveaux des privilèges pour lesquels ils ont dû patienter plusieurs années (vacances, salaire, bureau en coin, cellulaire, etc.) On dit souvent des jeunes d'aujourd'hui qu'ils manquent de loyauté, mais plusieurs ont vu leurs parents divorcer, négliger leurs enfants, se tuer au travail… pour ensuite être congédiés! D'après Sylvie Guerrero, professeure au département d'organisation et ressources humaines de l'École des sciences de la gestion (UQAM), cette perception d'un manque de loyauté tient davantage du fait que les jeunes négocient davantage leur contrat moral. Afin d'éviter de se faire avoir comme leurs parents, ils s'assurent d'être reconnus s'ils performent bien plutôt que de simplement espérer. Pour la première fois, les entreprises ne pourront plus se contenter de seulement dire que leurs employés sont leur actif le plus important, elles devront agir en conséquence pour le bien-être de l'ensemble des travailleurs, pas seulement les jeunes.

Avant de dresser en détail le portrait de la génération Y, jetons un bref coup d'œil aux valeurs privilégiées par les trois générations antérieures que j'ai retracées dans plusieurs de mes lectures, dont *Managing the Generation Mix, From Collision to Collaboration* de Carolyn A. Martin et Bruce Tulgan.

Traditionalistes (1925 – 1940)	Baby-boomers (1941 – 1965)	Génération X (1966– 1976)	Génération Y (1977-1989)
Contact humain	Développement personnel	Contribution	Dépassement
Éthique professionnelle	Respect	Performance	Flexibilité
	Reconnaissance		Autonomie

En terminant, voici un tableau tiré d'un texte de Christian Vandenberghe publié dans l'excellent recueil sous la direction de Michel Tremblay, *La mobilisation des personnes au travail*, qui peint une belle comparaison entre une culture organisationnelle traditionnelle et les attentes des employés de la génération Y.

	Culture d'entreprise traditionnelle	Attentes de la génération Y
Engagement	Envers l'organisation	Envers les personnes
Accès à l'information	Hiérarchique	Latéral et illimité
Place du travail dans la vie	Importante	Moyen de réaliser sa vie personnelle
Travail – vie personnelle	Séparés	Fusionnés
Valeurs dominantes	Loyauté	Autonomie
	Sécurité et statut	Changement et innovation
	Pouvoir et autorité	Reconnaissance des compétences
	Communication structurée et dirigée	Communication naturelle et instantanée
	Délégation	Partage d'idées constant
	Reconnaissance matérielle	Reconnaissance existentielle
	Participation dirigée	Participation émergeant là où se trouve l'information
Rôle du superviseur	Leader	Conseiller

www.esg.uqam.ca

Managing the Generation Mix, From Collision to Collaboration de Carolyn A. Martin et Bruce Tulgan. ISBN 0-87425-659-3

La mobilisation des personnes au travail sous la direction de Michel Tremblay.

Carnet de route du gestionnaire

Quel est le profil générationnel de notre équipe ?

- **Traditionalistes (1925 – 1940) ;**
- **Baby-boomers (1941 – 1965) ;**
- **Génération X (1966 – 1976) ;**
- **Génération Y (1977 – 1989).**

Comment pouvons-nous offrir plus de défis, plus de flexibilité et plus d'autonomie à nos jeunes employés ?

Si pour gagner deux fois plus, il faut travailler deux fois plus, je ne vois pas où est le bénéfice.

— Raymond Castans

6| Le temps c'est plus que de l'argent

Après avoir illustré le choc des valeurs entre les différentes générations de nos compagnons de voyage, dressons maintenant le portrait de l'importance du temps et de l'argent pour les jeunes de la génération Y.

Bien que les jeunes attachent encore beaucoup d'importance au salaire et aux avantages monnayables, il semble que ce critère cède de plus en plus sa place à la flexibilité des horaires et aux perspectives de développement personnel et professionnel à court et moyen termes. D'après les témoignages que j'ai recueillis, les jeunes de la génération Y s'attendent, d'une manière générale, à une rémunération personnalisée en relation directe avec leurs compétences et les résultats qu'ils obtiennent.

Pour un jeune ingénieur junior que j'ai interviewé chez CIMA+, il est essentiel qu'un employeur récompense le succès non seulement en le disant lorsqu'un employé fait un bon coup mais aussi en lui versant des incitatifs monétaires en conséquence des résultats obtenus. Un autre, qui est également ingénieur junior chez CIMA+, abonde dans le même sens. Pour lui, il est clair que le fait que l'entreprise reconnaisse davantage la performance que l'ancienneté y est pour beaucoup dans sa décision de faire carrière chez CIMA+ où les possibilités de devenir éventuellement patron à titre d'associé sont plus grandes que chez les concurrents.

Pour les jeunes de la génération Y, l'expression «le temps c'est de l'argent» est devenue «le temps c'est plus important que l'argent». En effet, plusieurs affirment qu'ils accepteraient une rémunération moindre pour consacrer moins d'heures au travail. Plusieurs interprètent cela comme un manque de cœur à l'ouvrage mais rien n'est plus faux. En fait, les jeunes sont convaincus que s'ils ont davantage de flexibilité pour s'occuper de leur vie privée, ils seront encore plus productifs au travail. Ils ne raisonnent pas en termes d'heures travaillées mais en termes de résultats. Ce raisonnement s'applique également au concept de l'équilibre travail – vie personnelle. Ce n'est pas une question du nombre d'heures consacrées à l'un ou à l'autre mais plutôt une question de pouvoir intégrer les deux réalités ensemble. Ici aussi, ce sont les résultats qui comptent et non la manière d'y arriver. Puisqu'il s'agit d'une seule et même personne, il ne peut y avoir opposition entre la personne que l'on est au travail et celle que l'on est dans la vie de tous les jours. Nous ne sommes pas dotés d'un interrupteur qui nous permet de passer en mode travail en négligeant les aspects de notre vie privée, disent-ils.

J'ai eu le privilège de participer récemment à une table ronde sur le mentorat d'affaires organisée par le magazine *Québec inc.* Par un drôle de hasard, les entrepreneurs assis de chaque côté de moi ont, tout comme moi, trois jeunes enfants. Les mentors issus de générations antérieures à la nôtre qui participaient à nos discussions étaient surpris (et aussi envieux, je pense) de l'importance que l'on accorde à l'usage de notre temps et à l'atteinte d'un sain équilibre de vie. Presque à tous les jours, j'ai la chance de pouvoir raccompagner mes enfants au coin de la rue pour prendre l'autobus scolaire le matin et l'après-midi. Essayez de mettre un signe de dollar là-dessus. Oui, le temps c'est plus important que l'argent.

> Pour un autre jeune que j'ai interviewé, il est clair qu'un horaire de travail contraignant est un irritant majeur pour lui et pour plusieurs jeunes de la génération Y. Ils privilégient un climat de confiance et d'honnêteté où l'on ne se sent pas surveillé. Pas question pour lui d'avoir une carte de temps. Son message est clair: je sais ce que j'ai à faire et je connais les échéanciers mais ne venez pas me questionner si j'arrive plus tard un matin ou si je quitte plus tôt un après-midi pour jouer au hockey avec des amis.

Un membre du Club réseau dont je fais partie me racontait l'autre jour une histoire incroyable à laquelle plusieurs jeunes dans la vingtaine peuvent s'identifier. Il filait à plus de 170 km/h sur l'autoroute pour aller cueillir sa fille à la maison et l'amener voir le Père Noël à son centre de la petite enfance. Il s'empresse d'installer la petite sur la banquette arrière puis file à toute allure en finalisant les détails d'un important communiqué de presse au cellulaire avec un de ses clients américains. Par mégarde, il brûle un arrêt et se fait arrêter par un policier. Ce dernier, voyant dans quel état de stress émotionnel intense mon ami était, a pris le temps de lui raconter qu'un de ses amis avait perdu son enfant dans un accident alors qu'il avait lui aussi brûlé un arrêt. Cet incident a suscité chez lui une profonde remise en question sur ses priorités. Depuis ce temps, il a réduit sa clientèle de moitié. Pour lui, il n'y a pas un communiqué de presse qui vaille plus que sa fille.

« Donnez-nous la flexibilité pour nous occuper de notre vie privée et nous serons plus productifs au travail ! », disent les jeunes de la génération Y.

www.cima.ca
www.quebecinc.ca

Carnet de route du gestionnaire

Comment pouvons-nous rendre l'horaire de travail plus flexible pour aider nos employés à gérer leur vie privée ?

Les idées sont comme les enfants, les nôtres sont toujours extraordinaires.

- Inconnu

7| Une structure organisationnelle évolutive

Cette génération Y a grandi dans les garderies et ils sont des experts du réseautage. Travail d'équipe, coopération, entraide, partage, égalité, partenariat, authenticité et respect sont toutes des valeurs qui ont été soulevées lors de mes entretiens avec les jeunes de la génération Y. Ces derniers s'attendent à un environnement de travail souple et dynamisé par l'utilisation des plus récentes technologies.

Les jeunes de la génération Y sont des adeptes du multi-tâches : ils n'aiment pas la routine.

Pour une jeune enseignante au primaire à l'école Charles-Bruneau que j'ai rencontrée, il est clair que la flexibilité dont fait preuve son école et la stimulation que ses collègues lui apportent l'amènent à être réceptive à aller plus loin. Elle recherche les opportunités de se remettre en question pour innover et évoluer. D'après elle, sortir de sa routine est déstabilisant mais après, on y gagne en confiance et notre travail devient alors encore plus stimulant.

Les jeunes de la génération Y adorent les défis.

> Comme tous les jeunes de son âge, un de ceux que j'ai rencontrés aime avoir la possibilité de participer à des projets pour améliorer son travail ou l'entreprise dans son ensemble.

Les jeunes de la génération Y n'aiment pas la hiérarchie pour la hiérarchie. Il est clair pour eux que ce n'est pas parce qu'on est le patron ou qu'on est plus âgé qu'on est plus crédible.

> C'est particulièrement vrai pour une des chefs d'équipe cuisine que j'ai rencontrée chez Pacini. Elle ne reconnaît pas l'autorité non fondée et elle déteste qu'une hiérarchie soit inapte à transmettre efficacement la philosophie du grand patron jusqu'en bas de la chaîne.

Diversité, mobilité et rapidité sont des mots-clé qui résonnent très fortement dans le cœur des jeunes issus de la génération Y.

> J'ai questionné un formateur et rédacteur technique dans la vingtaine chez FIDO Solutions, à ce sujet. Il déteste les environnements de travail procéduriers, rigides, où l'on travaille en vase clos et où il n'y a pas de place pour la créativité.
>
> Même son de cloche du côté d'un assistant-technique qui s'est joint récemment à Vézina Dufault, un cabinet en assurances de dommages et en assurance collective de personnes ayant remporté plusieurs prix d'excellence en gestion des ressources humaines. Pour lui, une structure trop lourde où tout est un processus ne peut être intéressante aux yeux d'un jeune de la génération Y. Il conseille aux gestionnaires de faire preuve d'ouverture et de ne pas rester dans les idées préconçues.

Je crois que le fait que les jeunes soient nés et aient évolué dans cette mer agitée d'informations les pousse à rechercher une certaine simplicité. Ils veulent s'associer non pas à une structure, mais à une cause qui fait du sens, faire du capitalisme équitable.

Les jeunes de la génération Y ont grandi dans un système scolaire qui favorisait l'autonomie et la prise de décision. La conséquence, c'est que aujourd'hui, ils veulent participer aux décisions plutôt que de se faire dire simplement quoi faire.

À cet effet, un autre jeune employé que j'ai interviewé ajoute que, pour lui, une entreprise qui n'est pas à l'écoute de ses suggestions serait un irritant majeur et il sait qu'il lui serait relativement facile de se trouver un autre emploi ailleurs dans le même domaine. Il préfère un employeur à l'écoute de ses idées pour améliorer les conditions de travail, l'efficacité et les façons de faire.

De son côté, une jeune professeure que j'ai interrogée préfère un environnement où la contribution de chacun est encouragée.

Un autre employé chez CIMA+, quant à lui, n'accepterait pas un milieu de travail où il ne pourrait pas donner son opinion, ne serait pas écouté ou respecté, ni pris au sérieux ou s'il ne pouvait pas se faire expliquer pourquoi son idée n'est pas bonne.

www.educ.csmv.qc.ca/charles_bruneau
www.pacini.ca
www.fido.ca
www.vezinadufault.com
www.cima.ca

Carnet de route du gestionnaire

Comment pouvons-nous encourager la participation de nos employés dans le processus de prise de décision ?

Prêtez à tout homme votre oreille mais à peu votre voix.

- William Shakespeare

8| L'esprit de famille

Voici un autre élément qui est ressorti des entrevues que j'ai effectuées auprès des jeunes de la génération Y: ils privilégient les relations authentiques avec leurs collègues ou patron. Ils préfèrent définitivement s'identifier aux individus avec lesquels ils collaborent plutôt qu'à l'entreprise au sein de laquelle ils travaillent. Ils cherchent à créer un esprit d'équipe, un esprit de famille, un noyau social qu'ils n'ont souvent pas eu le privilège de vivre au sein de leur famille (souvent éclatée ou reconstituée). Ils ont besoin de créer des liens et ceux-ci relèvent davantage de leurs relations avec leurs collègues et patrons, auxquels ils s'identifient, plutôt qu'à une hiérarchie ou à l'entreprise à laquelle ils appartiennent. Certains travailleurs resteront dans une entreprise d'abord parce qu'ils aiment bien leur équipe de travail, et inversement d'autres quitteront un emploi parce qu'ils ne peuvent supporter certains collègues, même si le travail en lui-même et l'entreprise les intéresse. C'est dire à quel point la qualité des relations est primordiale pour les jeunes.

Leur recherche du vrai, de l'authenticité, de la simplicité fait souvent passer la génération Y pour des jeunes qui n'ont pas de sens politique. Leur spontanéité et leur approche sans détour peuvent parfois être déstabilisantes mais dans le monde qui roule à la vitesse grand V dans lequel ils ont grandi, il n'y a pas de place pour le superflu. «Allons droit au but», disent-ils.

Réflexions de la génération Y

La valeur la plus importante que je voudrais transmettre à mes enfants

La famille, l'amour et l'amitié.

Le respect et l'égalité.

L'honnêteté, l'écoute et la confiance envers soi et les autres.

La coopération et le travail d'équipe.

Le professionnalisme et la fiabilité.

Le plaisir d'apprendre et de partager.

La passion.

La confiance, la transparence et la franchise.

Travailler pour mériter ce qu'on a.

Se dire les choses telles qu'elles sont.

Ça ne vaut pas la peine d'être malheureux dans un travail pour faire plus d'argent.

Pour un des jeunes rencontrés, la façon dont les gens interagissent dans une entreprise est très importante. Pour lui, la simplicité, l'honnêteté et l'accessibilité prévalent sur les jeux politiques. Il aime une organisation où les gens ont la possibilité de se dire les choses telles quelles sont et où on encourage les gens à verbaliser quand ça ne va pas comme on veut sans avoir à passer par quatre chemins.

Un autre abonde dans le même sens. Il privilégie une communication franche et honnête où on peut se dire directement les choses qu'on a à se dire sans s'enfarger dans les fleurs du tapis.

Pour une autre jeune, pouvoir côtoyer des collègues qui veulent avoir du plaisir et collaborer est essentiel. Avoir des collègues compétitifs ou pas sincères serait un incitatif majeur à changer d'organisation. Elle est très loyale envers ses collègues à condition qu'ils fassent preuve de professionnalisme, de souci du travail bien fait, de ponctualité, d'efficacité, de fiabilité et d'authenticité.

Une autre jeune chef d'équipe m'a mentionné qu'elle désire avant tout que ses collègues aient du plaisir à venir travailler. Elle désire s'assurer que tous aiment ce qu'ils font tout en respectant les raisons pour lesquelles ils le font.

Un autre m'a avoué qu'il songerait sûrement à quitter un environnement où ses collègues ne font pas preuve de loyauté et de respect entre eux.

Carnet de route du gestionnaire

Sommes-nous prêts à faire preuve davantage d'ouverture, d'authenticité et de vulnérabilité face à nos employés ?

Nos communications sont-elles simples, directes et transparentes ?

Notre fonctionnement organisationnel permet-il aux individus de créer des liens entre eux ?

N'essaie pas de devenir ce que tu ne seras jamais. Sois toi-même mais fais-le à la perfection.

— Saint Francois De Sales

9| Bye bye boss, bonjour mentor !

Définitivement, les patrons autoritaires, colériques et intimidants n'ont pas la cote auprès des jeunes de la génération Y. Pour eux, leur patron est un partenaire dont le rôle est de les soutenir personnellement dans leur cheminement sans toutefois céder aux caprices de tous et de chacun. Souvent laissés à eux-mêmes durant leur enfance (rappelez-vous ces enfants avec la clé dans le cou), ils ont un grand besoin de validation, d'approbation et d'encouragement.

Tout comme ses collègues de 18 à 30 ans d'après ce jeune que j'ai interviewé, recevoir des feedbacks positifs et continuels de son superviseur, sous la forme d'un simple courriel par exemple, est très important.

Un autre m'a confirmé qu'il a horreur des patrons qui ne savent pas reconnaître les bons coups.

Pour un jeune bachelier, travailler dans une organisation où il n'y aurait personne d'assez accessible à qui se référer pour le soutenir serait un motif très démobilisateur. Lorsqu'on est appuyé, affirme-t-il, on craint moins de prendre des initiatives et on fait moins d'erreurs.

Une autre jeune oeuvrant dans le domaine de l'enseignement s'attend à ce que son superviseur soit à son écoute mais surtout, qu'il soit capable de la guider et de l'orienter.

Réflexions de la génération Y

Les 3 qualités d'un patron idéal

Capacité d'écoute, respectueux et maintient un minimum de rigidité.

Respectueux, fait preuve d'ouverture d'esprit et de flexibilité.

Compréhensif, organisé et fiable.

Créatif, fait confiance et favorise le travail d'équipe.

Reconnaissant, visionnaire et exigeant.

Juste, humain et qui aime ce qu'il fait.

Sens de l'humour, franc et s'intéresse aux gens.

Les jeunes de la génération Y s'attendent à ce que chaque employé soit considéré comme un individu unique avec des aspirations propres à lui. Pour eux, se fondre dans le moule n'est vraiment pas leur tasse de thé (tatouages, perçages, sonneries de cellulaire personnalisées, etc.)

Un jeune employé adore avoir l'opportunité de dîner d'une manière informelle avec un des grands patrons pour échanger et apprendre à mieux se connaître sur le plan individuel.

Pour sa part, une autre employé de la génération Y m'a confié qu'elle veut seulement prendre du temps avec son superviseur pour dialoguer en toute simplicité.

Un jeune fraîchement diplômé, quant à lui, est persuadé que sa génération travaille différemment des autres: «Nous aimons avoir le temps de penser comment faire les choses plutôt que d'agir immédiatement».

Pour une autre, un environnement contrôlant où on se sent étroitement surveillé brime sa liberté et sa créativité.

Les jeunes de la génération Y ont été élevés sous le règne de la gratification immédiate. Ces enfants roi, pour la plupart, ne se sont pas fait dire non souvent. Leurs attentes sont hautes et parfois, lorsqu'ils se buttent à un échec, le choc peut être grand et leur réaction n'attire pas toujours la sympathie de leurs collègues des générations antérieures.

«Se voir offrir fréquemment des possibilités d'avancement, des surprises ou des cadeaux par son employeur fait aussi partie de mes attentes» affirme un autre des jeunes que j'ai interviewés.

Carnet de route du gestionnaire

Laisser les employés me parler de ce qui les préoccupe, de leurs frustrations et de leurs désirs.

Réflexions de la génération Y

Un message à livrer au monde et qui s'imprime sur un t-shirt

Motivation begins at home.

C'est ta décision quand tu te lèves le matin : aujourd'hui sera une bonne journée.

Le positivisme, ça se développe.

C'est à toi de te motiver.

Sois heureux dans ton travail.

Prends donc le temps de le faire.

Pas avoir le goût et pas avoir le temps, ce n'est pas pareil.

Go the extra mile, it's never crowded.

Va un pas plus loin.

Ose, c'est déstabilisant.

Saisis les opportunités.

Passion et stimulation.

Remets-toi en question pour innover et évoluer.

Amusez-vous !

Prends ta vie en main.

Si tu veux, tu peux.

Je suis né pour un gros pain.

Fixe-toi des buts et dépasse-les.

Ne parlez pas dans mon dos (imprimé au dos du t-shirt).

10| L'agent libre

L'agent libre est le dernier des six thèmes utilisés pour dresser le profil de la génération Y. Les jeunes d'aujourd'hui sont davantage scolarisés. Ayant grandi dans un monde en constante évolution, ils ont compris que leur développement personnel et professionnel ne s'arrête pas à la sortie de l'école. Un employeur qui se contente de faire de la formation à la pièce sans l'intégrer au plan de développement de carrière de chaque employé aura certainement des difficultés à mobiliser les 18 à 30 ans.

Les jeunes de la génération Y désirent améliorer constamment leurs compétences.

Son développement personnel et professionnel est une priorité pour un nouvel employé avec qui j'ai eu la chance d'échanger. Il s'attend non seulement à se faire proposer un plan de carrière par son employeur mais aussi à en être l'architecte.

Pour une autre, s'arrêter pour regarder ce qu'elle-même et son superviseur veulent et établir ensemble des objectifs communs est impératif.

Indépendants et plutôt indifférents de nature, les jeunes d'aujourd'hui sont mobiles. Ils s'informent sur la culture de l'entreprise et sur la qualité de vie de ses employés. Plusieurs ont développé cette mentalité d'agent libre : ils vont demeurer loyaux tant qu'ils n'obtiendront pas une meilleure offre. D'ailleurs, ils comparent volontiers leurs conditions de travail avec leurs amis. Ils effectuent beaucoup de recherches par Internet et il est important que le site de l'entreprise reflète que la formation, le développement de carrière et l'équilibre sont des priorités pour l'organisation.

Réflexions de la génération Y

Conseils aux gestionnaires qui supervisent des employés de ma génération

Instaurer une «boite» ou quelque chose pour que les employés puissent s'exprimer, sous le sceau de la confidentialité sur n'importe quel sujet touchant l'entreprise et en tenir compte.

S'assurer que chacun des directeurs suit de très près les employés à sa charge et prendre le pouls de la situation régulièrement.

Maintenir l'ambiance familiale d'une petite entreprise.

Les jeunes de notre génération pensent que tout leur est dû. On espère toujours plus qu'on est en droit d'avoir. On déteste se faire remettre ses erreurs dans la face, et encore plus en public. On est jamais satisfait, jamais content. On adore chialer et on aime être consulté même si ça ne changera rien.

Bien choisir les employés responsables du recrutement et de la formation initiale.

Ne pas rencontrer seulement les employés lorsqu'il y a un problème.

Encourager la convivialité, l'ouverture, les interactions et une structure organisationelle souple.

S'entourer de personnes plus en contact avec notre génération.

Prendre ses responsabilités : ne pas dire oui aux caprices de chacun.

Ne pas laisser un employé en difficultés, l'aider à s'orienter.

Jumeler des gens passionnés avec d'autres qui le sont moins.

Mettre à contribution la perspective de chacun (inter-générationnelle et inter-culturelle).

S'assurer que tous aiment ce qu'ils font peu importe la raison pour laquelle ils le font.

Aimer et croire en ce qu'on fait.

Offrir un meilleur salaire de base pour attirer les meilleurs en début de carrière.

Se mettre dans les souliers de l'autre : ne pas rester dans les idées préconçues.

Laisser beaucoup de latitude aux employés (fixer la direction sans décider le chemin).

Il est ici primordial pour l'entreprise d'être le plus transparente possible et d'éviter de lancer simplement de la poudre aux yeux aux candidats en adoptant un langage accrocheur qui ne reflète pas la manière dont la culture de l'entreprise se vit au quotidien. Voici un extrait de l'engagement d'une des entreprises pour lesquelles j'ai travaillé plusieurs années : «Mettre en place des équipes performantes, dans un environnement sécuritaire et respectueux des personnes, où nous pouvons tous atteindre nos objectifs personnels, au sein d'une compagnie dont nous sommes fiers. » Je peux vous assurer qu'un jeune séduit par ce texte qu'il a lu sur Internet et qui me demande si ça se vit vraiment au quotidien va vite déchanter ! L'entreprise ne devrait pas tenter de faire adhérer les gens à sa cause, mais plutôt s'efforcer d'attirer à elle ceux qui y sont déjà sensibles, en adaptant ses stratégies de marketing de recrutement aux candidats qu'elle veut vraiment attirer. Inutile de tenter de vouloir plaire à tous. Montrez plutôt l'entreprise telle qu'elle est vraiment et vous réussirez à attirer des jeunes talents compatibles avec vos réelles valeurs (qui ne peuvent pas être bonnes ou mauvaises, seulement différentes et personnelles).

Carnet de route du gestionnaire

Quelles sont mes valeurs et celles de l'organisation ? Sont-elles clairement affichées et vécues au quotidien ?

Notre image et notre réalité quotidienne de travail sont-elles cohérentes ? Qu'en pensent nos jeunes collègues ?

Que pouvons-nous proposer à nos jeunes employés pour les aider à améliorer leurs compétences chez nous ?

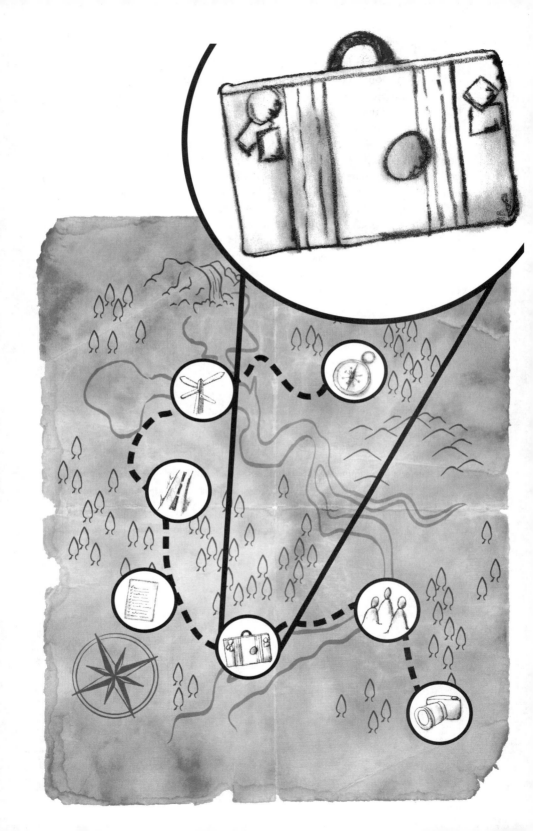

III Les bagages

S'inspirer de la concurrence

Pour amorcer notre périple, nous avons d'abord observé notre point de départ : le contexte économique actuel d'où nous avons retenu quatre points importants : la concurrence mondiale féroce, la position précaire du Québec, la pénurie criante de main-d'œuvre qualifiée et l'absentéisme aux proportions alarmantes.

Ensuite, nous avons dressé le portrait de nos compagnons de voyage, soit le profil de la génération Y, où nous avons abordé six thèmes : le choc des valeurs, le temps c'est plus que de l'argent, une structure organisationnelle évolutive, l'esprit de famille, bye bye boss, bonjour mentor et l'agent libre.

Regardons maintenant les meilleures pratiques des entreprises récipiendaires de prix d'excellence en gestion des ressources humaines. Elles nous inspireront pour identifier les bagages nécessaires afin d'atteindre notre destination. Nous allons aborder trois thèmes : se faire voir, la rémunération globale et le plan personnel de croissance.

« SI J'AUGMENTE LE CHAUFFAGE À 90°F ET QUE JE DÉPOSE UNE PETITE OMBRELLE DE PAPIER SUR TON CAFÉ, EST-CE QUE ÇA COMPTE POUR DES VACANCES? »

Lorsque tous les autres moyens de communication échouent, essayez les mots.

- Inconnu

11| Se faire voir

Dans le contexte actuel de rareté de la main-d'œuvre, les entreprises rivalisent de plus en plus d'audace et d'imagination dans leurs pratiques de recrutement. Voici quelques moyens utilisés par plusieurs pour se faire voir.

Visibilité ciblée

Investir dans une campagne de publicité d'image.

Considérer le site Internet corporatif comme un élément de sa stratégie de recrutement.

Commanditer des événements (5 à 7 ou conférences thématiques) offertes au grand public ou à des professionnels.

Placer des affiches dans des commerces.

Installer des stands dans des lieux publics ou lors d'événements spéciaux.

Afficher sur les camions de livraison.

Annoncer dans les bulletins professionnels.

Effectuer des campagnes radio et télé.

CMP, par exemple, a eu recours à des groupes de discussions avec leurs employés : « Nous voulions savoir quels magazines ils lisaient, quels postes de radio ils écoutaient et quels étaient leurs loisirs, de façon à déterminer les médias les plus efficaces pour le recrutement », explique **Michel Labrecque, vice-président corporatif ressources humaines**.

Aujourd'hui, le recrutement s'effectue encore bien sûr à l'externe mais aussi sur les campus et même en mettant à profit les réseaux de contacts des employés. « Récompenser les employés qui recommandent un candidat qui est embauché est notre mode de recrutement le plus efficace », signale monsieur Labrecque.

Se faire voir passe donc aussi par les employés eux-mêmes qui deviennent les ambassadeurs de l'entreprise. Mais rappelez-vous que l'image qu'ils véhiculent est celle de leur vécu quotidien personnel. Que souhaitez-vous qu'ils disent de vous et de leur milieu de travail ?

Visibilité dans les écoles

Remettre des bourses d'excellence aux étudiants méritants.

Soumettre l'entreprise à une étude de cas dans le cadre d'un cours.

Financer une chaire de recherche.

Offrir des stages rémunérés aux étudiants.

Organiser des concours.

Commanditer des événements.

Effectuer des présentations, ateliers ou conférences…

D'après un jeune ingénieur chez CIMA+, il n'y a pas un étudiant de l'École Polytechnique de Montréal qui ne connaisse pas l'entreprise tant cette dernière est impliquée dans le financement de toutes sortes d'activités sociales et académiques. Et pourtant, il ne s'agit pas de la firme d'ingénierie la plus importante au Québec.

Carnet de route du gestionnaire

www.cmpdifference.com
www.cima.ca

Quels moyens utilisons-nous actuellement pour faire voir notre entreprise auprès des candidats intéressants ?

Que disent nos employés de leur vécu quotidien ?

Comment pouvons-nous nous faire aider par nos employés pour recruter du nouveau personnel de qualité ?

12| La rémunération globale : les aspects monétaires

Jusqu'à maintenant, nous nous sommes inspirés des meilleures pratiques pour nous faire voir. Poursuivons notre observation de la concurrence en nous arrêtant au concept de la rémunération globale : les aspects monétaires.

En réponse aux besoins de flexibilité et de personnalisation, quelques entreprises innovatrices adoptent maintenant une rémunération globale à la carte de type cafétéria. Ce que cela signifie, c'est qu'un employé peut désormais choisir à sa guise les aspects de sa rémunération qu'il désire privilégier : non seulement les aspects monétaires mais aussi les aspects reliés à l'équilibre travail-vie personnelle (horaire, congés, vacances), au développement de la carrière (budget de formation individuel) et aux autres avantages en milieu de travail.

Par exemple, un jeune de 20 ans pourrait accepter un salaire moindre de 5 000 $ en échange d'un budget équivalent pour assister à toutes les activités de formation de son choix sans avoir à se justifier (en autant que ce soit en lien avec son plan de développement). Une jeune mère monoparentale de 25 ans pourrait préférer un salaire légèrement moindre en échange d'un plan d'assurances collectives plus généreux et de pouvoir mettre des heures en banque en échange de congés mobiles. Bien que cette personnalisation peut paraître ardue à mettre en place, je vous invite à identifier les aspects qui sont sous votre contrôle et commencer à offrir de les personnaliser selon les désirs de vos employés. Un élément important à retenir est qu'il faut bien conseiller les employés dans leurs choix. Par exemple, il faudrait expliquer à la jeune recrue de 22 ans qui déciderait de sacrifier son fonds de pension, en échange d'autres avantages, les impacts financiers à long terme de sa décision.

Aspects monétaires
Salaire.
Régime d'intéressement (différents bonis à court et long termes).
Assurances collectives et régimes de retraite.

D'après une recherche citée dans le livre *La mobilisation des personnes au travail*, de Michel Tremblay, les programmes qui récompensent les performances collectives (bonis d'équipe, partage des bénéfices et des gains de productivité) facilitent les interactions et les échanges d'informations entre les individus, minimisent la compétition et renforcent la coopération.

En terminant, il est important de ne pas perdre de vue cette intéressante observation de Jim Collins dans son livre *Good to Great*: «L'objectif d'un bon programme de rémunération n'est pas d'inciter les mauvaises personnes à adopter les bons comportements mais bien d'attirer et de retenir les bonnes personnes.»

Carnet de route du gestionnaire

De quelle latitude pouvons-nous disposer pour personnaliser notre programme de rémunération et pour l'adapter aux besoins de nos employés ?

La mobilisation des personnes au travail sous la direction de Michel Tremblay

Good to Great de Jim Collins
ISBN 0-06-662099-6

13| La rémunération globale : l'équilibre travail-vie personnelle

Voyons maintenant le deuxième volet de la rémunération globale : les aspects reliés à l'équilibre travail-vie personnelle.

Il y a déjà plusieurs années, la société AON, en partenariat avec la Banque Royale du Canada, a mené une étude afin de déterminer comment les travailleurs canadiens faisaient face aux exigences contradictoires émanant à la fois de leur milieu de travail, de leur famille et de leur vie privée. « On a découvert que la reconnaissance de leurs besoins non professionnels constitue le principal déterminant de l'engagement des employés à l'égard de leur employeur – bien avant la rémunération, les avantages sociaux, la formation et l'avancement. Cette reconnaissance ne coûte pratiquement rien aux entreprises mais elle peut rapporter beaucoup grâce à son effet sur le moral des employés. »

Les aspects reliés à l'équilibre travail-vie personnelle se regroupent en 3 catégories : les congés, les vacances et l'horaire. Voici quelques idées à considérer.

Aspects relatifs à l'équilibre travail-vie personnelle : les congés

Certificats pour des jours de congé mobiles offerts aux employés.

Volontaires pour travailler les jours fériés en échange de jours de congé supplémentaires.

Partage d'un poste à temps plein entre plusieurs employés.

Banque de congés flottants.

Semaine comprimée : effectuer le même nombre d'heures en quatre jours au lieu de cinq.

Rémunération différée : travailler 35 heures en étant payé 32. Avec cette formule, un employé peut accumuler jusqu'à 18 jours de congés payés supplémentaires par année.

Congés non payés pour participer à des activités de bienfaisance.

Aspects relatifs à l'équilibre travail-vie personnelle : les vacances

Travail à contrats avec période d'arrêt entre chacun.

Congé personnel sans solde de 3 à 12 mois pour réaliser un rêve ou prendre une pause.

Retraite progressive.

Aspects relatifs à l'équilibre travail-vie personnelle : l'horaire

Heures flexibles saisonnières.

Télétravail : pouvoir travailler à son domicile.

Programme d'achat d'un ordinateur pour la maison.

Connexion Internet à domicile payée par l'entreprise.

Cellulaire ou terminal mobile de poche fourni.

Possibilité de temps partiel.

www.aon.ca

Carnet de route du gestionnaire

Quels moyens utilisons-nous actuellement pour répondre aux besoins de nos employés en regard de l'équilibre travail-vie personnelle ?

• Congés ;

• Vacances ;

• Horaire.

Quels autres moyens sous notre contrôle pouvons-nous utiliser ?

Vis comme si tu devais mourir demain. Apprends comme si tu devais vivre toujours.

- Mahatma Gandhi

14| La rémunération globale : le compte de développement de carrière

Le compte de développement de carrière est un budget de formation personnel, à utiliser à la discrétion de l'employé (en autant que ce soit en lien avec son plan de développement professionnel). Vous croyez qu'il faut prioriser les investissements en formation selon le plan stratégique de l'entreprise et non pas en fonction des besoins des individus ? Qui a dit qu'il y a contradiction entre les deux. Plutôt que de décider pour l'employé de ce qu'il a besoin pour réaliser les objectifs de l'entreprise, laissez-le établir lui-même le lien entre ses besoins de développement et les objectifs organisationnels. Évidemment, ce sera aussi à l'employé de justifier le retour sur investissement de l'utilisation de son compte de développement de carrière.

Carnet de route du gestionnaire

Quelles sont les grandes priorités de notre département ou organisation ?

Comment pouvons-nous aider nos employés à établir par eux-mêmes leurs besoins en formation en lien avec nos priorités ?

Vous pouvez obtenir tout ce que vous voulez dans la vie, si vous aidez suffisamment de gens à obtenir ce qu'ils veulent.

— Zig Ziglar

15| La rémunération globale : les autres avantages

Voici le dernier des quatre volets de la rémunération globale: les autres avantages. Les aspects reliés aux autres avantages se divisent en 2 groupes: l'individu et la famille.

Aspects relatifs aux autres avantages : l'individu
Activités sociales.
Frais de scolarité remboursés.
Plan de reconnaissance pour l'excellence ou les années de service.
Nourriture santé offerte sur place et service de traiteur offert pour les repas à prendre à la maison ou les boîtes à lunch.
Célébrations ponctuelles : pour célébrer la fin d'un projet ou la fin d'une période intense.
Partage de ses autres talents au travail : «midi-conférence» sur un sujet qui passionne un employé.
Gymnase sur place ou abonnement gratuit à un club sportif.
Massages sur chaise.
Visite sur place de professionnels de la santé : diététiste, infirmière, etc.

Aspects relatifs aux autres avantages : l'individu (suite)

Services offerts sur place en entreprise : cueillette et livraison de vêtements personnels pour le nettoyeur, valet pour conduire votre voiture chez le garagiste pour les changements de pneus ou d'huile saisonniers, coursier pour vos achats, club vidéo, bibliothèque, etc.

Services offerts à l'extérieur par l'employeur : ménage à domicile, accompagnateur pour la famille à des rendez-vous médicaux, surveillance du domicile, gardiennage d'animaux et de plantes lors d'absence prolongée, support technique en informatique, soutien à la réussite scolaire, service de garde, fêtes d'enfants, conseils pour les aînés en perte d'autonomie, etc.

Conférences en entreprise sur des sujets de notre vie de tous les jours : alimentation, santé, gestion du stress, finances personnelles, éducation des enfants, ergonomie, soins aux aînés, etc.

A ce sujet, j'ai interviewé **Diane Quimper, Directrice des ressources humaines chez Vézina Dufault**, entreprise lauréate au Défi Meilleurs Employeurs au Québec en 2005 et 2006 ainsi que finaliste dans la catégorie Ressources humaines au concours Mercuriades 2006 et 2007. Parmi les autres avantages qu'offre l'entreprise, il y a : les frais de scolarité payés à 100 % et deux demi-journées rémunérées par cours pour étudier et pour passer l'examen, une allocation pour le transport et le stationnement, plusieurs activités sociales payées à 100 % par l'employeur (fête champêtre avec activités de consolidation d'équipe et cadeau souvenir, cabane à sucre, etc.)

J'ai aussi eu le privilège de m'entretenir avec **Pierre Marc Tremblay, Président et Chef de la direction de Pacini**. Son entreprise, lauréate en 2005 et 2006 au Défi Meilleurs Employeurs au Québec, possède un plan de reconnaissance très élaboré qui reconnaît bien sûr les années de service mais aussi l'apport à l'esprit d'équipe et les réalisations reliées aux objectifs stratégiques des employés. De plus, en trois ans, l'entreprise a offert à environ 120 employés méritants un séjour à son académie culinaire située en Italie.

Aspects relatifs aux autres avantages : la famille

Bourses d'études aux enfants.

Remercier les familles et inviter les parents à visiter l'entreprise. L'été dernier, j'ai eu l'opportunité de participer à un atelier de formation avec Nido Qubein, le célèbre consultant américain et directeur de High Point University. Il nous a illustré le puissant impact d'une simple lettre adressée personnellement aux parents les invitant à venir visiter le milieu de vie de leur enfant. Cette idée n'est pas seulement utilisée avec succès à l'université qu'il dirige mais aussi chez quelques-uns de ses clients corporatifs.
Vous trouvez cela enfantin ? Essayez-le une fois avec un de vos nouveaux employés de 18 à 30 ans et observez par vous-même l'impact d'une si délicate marque de respect.

Offrir un programme de soutien aux employés qui doivent fournir des soins aux aînés. Selon une étude de Statistique Canada, plus de 1,7 million d'adultes de 45 à 64 ans, surtout des femmes, ont fourni des soins à leurs aînés en 2002. D'après l'étude, les personnes fournissant au moins quatre heures de soins par semaine ont plus tendance à réduire leurs heures de travail, à changer leur horaire de travail ou à refuser une offre d'emploi ou une promotion. Les femmes interrogées pour les fins de cette enquête, travaillant au moins 40 heures par semaine, ont par ailleurs indiqué, dans une proportion de 80 %, qu'elles aimeraient bien avoir un peu de répit.

Camp d'été pour les enfants des employés, offert à proximité du lieu de travail.

www.vezinadufault.com
www.defimeilleursemployeurs.com
www.mercuriades.com
www.pacini.ca
www.nidoqubein.com
www.highpoint.edu
www.statcan.ca

Carnet de route du gestionnaire

Quels autres avantages offrons-nous actuellement à nos employés ?

• **Pour l'individu ;**

• **Pour la famille.**

Quels autres moyens sous notre contrôle pouvons-nous mettre en place ?

Le plus grand bien que tu puisses faire à l'autre n'est pas de partager tes richesses, mais de lui révéler les siennes.

- Benjamin Disraeli

16| Plan personnel de croissance

Jusqu'à maintenant, nous nous sommes inspirés des meilleures pratiques pour se faire voir et nous avons exploré plusieurs aspects du concept de la rémunération globale. Arrêtons-nous maintenant à l'idée du plan personnel de croissance.

Beaucoup de jeunes placent leur développement professionnel en tête de leurs priorités. À cet effet, un jeune ingénieur que j'ai rencontré chez CIMA+ a suggéré que s'il était le président d'une entreprise désirant mobiliser les jeunes de son âge, il effectuerait une planification à moyen terme de la progression de carrière avec chacun de ses employés.

Voilà une piste que je sais gagnante parce que j'ai eu la chance de l'expérimenter. À ma sortie de l'École des hautes études commerciales, j'ai été recruté par une grande entreprise de services dans le cadre de leur programme des diplômés universitaires. En gros, l'employeur désirait développer une nouvelle génération de gestionnaires à moyen terme en exposant un groupe d'une vingtaine de jeunes à différentes situations. Le programme était chapeauté personnellement par le président à qui nous avions eu l'opportunité de présenter nos objectifs de carrière. Grâce à ce programme, j'ai occupé 6 postes dans 4 sites différents. C'était extrêmement stimulant parce que je me sentais comme le protégé du président et faisant partie d'un grand plan bien orchestré pour développer ma carrière. Vous croyez que ce genre de programme doit nécessairement venir de la haute direction ou ne s'applique que dans une grande organisation? Détrompez-vous! Après que le programme des diplômés universitaires ait été abandonné suite au départ du président, mon patron et moi (tous deux issus de ce programme) avons décidé de l'appliquer avec succès à mon équipe d'une dizaine d'employés. Nous étions constamment à l'affût des nouvelles opportunités correspondant à leurs intérêts et n'hésitions pas à modifier la structure en conséquence.

Comme tous les chemins mènent à Rome, l'objectif est de créer autant de cheminements de carrière qu'il y a d'employés talentueux. Les entreprises récipiendaires de prix d'excellence en gestion des ressources humaines utilisent différentes stratégies pour accompagner l'employé dans son parcours. En voici quelques-unes.

• Exposer graduellement les employés à différentes opportunités d'exercer leur leadership.

En dirigeant des réunions d'équipe, des projets ou des sessions de formation ou en agissant à titre de représentant officiel de l'entreprise lors d'événements importants, un jeune employé prend de l'assurance, apprend à mieux connaître ses forces et ses intérêts et vous aide, comme gestionnaire, à mieux le guider.

• Assigner un mentor à l'interne aux nouveaux leaders promus.

Un mentor est quelqu'un vers qui vous pouvez vous tourner pour discuter de sujets qui sont souvent très personnels. C'est pourquoi, il est essentiel de bâtir une relation de confiance et de respect afin de permettre au mentoré de s'exprimer, sans craindre de compromettre son avenir au sein de l'entreprise. Personnellement, j'ai le privilège d'être accompagné par Jean-Pierre Routhier, mentor émérite à la cellule de mentorat de la Chambre de commerce et d'industrie de la rive-sud et jazzman à ses heures. Depuis plus de 2 ans, la rencontre de cet homme a eu impact majeur sur ma carrière et c'est définivement grâce à nos discussions si j'ai tant grandi d'un point de vue personnel et professionnel conséquemment.

• Montrer aux jeunes comment réseauter (à l'externe mais aussi dans l'entreprise).

J'ai longtemps eu une perception négative du réseautage. Je détestais cela parce que je voyais cela comme un exercice tout à fait artificiel et pas du tout subtil où le but était de se vendre aux autres et de faire connaître mes produits et services. Depuis que je vois le réseautage comme une opportunité pour moi de rencontrer des nouvelles personnes intéres-santes à qui je peux venir en aide, je n'ai jamais eu autant d'opportunités qui s'offrent à moi. «Donnez et vous recevrez» comme disait l'autre…

La réussite d'un plan personnel de croissance repose aussi sur la capacité de l'entreprise de formaliser le transfert des connaissances. Mettre en place des méthodes bien définies est incontournable. Avec les nombreux départs à la retraite à venir, il est essentiel de structurer et d'encadrer davantage le transfert de l'expertise des employés d'une génération à l'autre pour éviter de perdre un bagage important de connaissances.

Vous trouvez que ça en fait beaucoup ? Ne vous découragez pas. Cette analyse concurrentielle dresse un inventaire tiré de dizaines d'entreprises différentes et à ma connaissance, aucune ne met toutes ces idées en application. N'attendez pas le programme parfait, il ne viendra jamais.

Voici ce qu'en pense **Roger Belisle, directeur général des ressources humaines chez Bell Nordiq**, entreprise figurant au palmarès des 50 employeurs de choix au Canada en 2007 : « Au-delà des programmes, nous faisons beaucoup d'accommodements sur une base informelle en développant les relations de proximité entre les employés et leur supérieur immédiat. » Faites confiance à votre jugement et gardez ça simple.

www.cima.ca
www.ccirs.qc.ca
www.bell-nordic.com
www.canadas50best.com

Carnet de route du gestionnaire

Quels moyens pouvons-nous mettre en place pour :

• **Exposer nos jeunes employés à différentes opportunités d'exercer leur leadership.**

• **Assigner un mentor à l'interne à nos nouveaux leaders.**

• **Montrer à nos jeunes employés comment réseauter.**

LES BAGAGES • S'inspirer de la concurrence

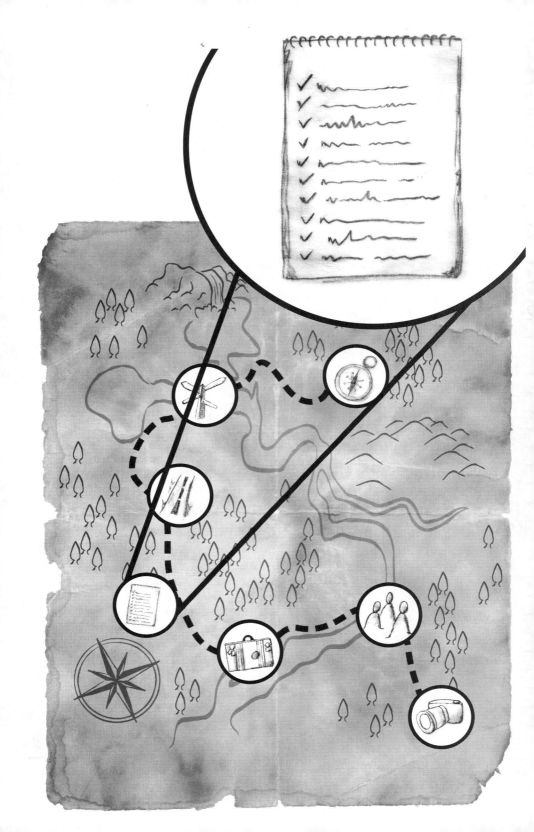

JEAN COUTU

Pharmacie Robert Cotchikian
5692, avenue du Parc
Tél.:(514) 270-6500

Francine Fournier, Infirmière

NOM:

Tension Artérielle Ciblée :

Date	Heure	SYS	DIA	Pouls

IV Les préparatifs

Profil des talents recherchés

Pour amorcer notre périple, nous avons d'abord observé notre point de départ : le contexte économique actuel d'où nous avons retenu quatre points importants : la concurrence mondiale féroce, la position précaire du Québec, la pénurie criante de main-d'œuvre qualifiée et l'absentéisme aux proportions alarmantes.

Ensuite, nous avons dressé le portrait de nos compagnons de voyage, soit le profil de la génération Y, où nous avons abordé six thèmes : le choc des valeurs, le temps c'est plus que de l'argent, une structure organisationnelle évolutive, l'esprit de famille, bye bye boss, bonjour mentor et l'agent libre.

Après, nous nous sommes inspirés des meilleures pratiques des entreprises récipiendaires de prix d'excellence en gestion des ressources humaines pour identifier les bagages nécessaires afin d'atteindre notre destination. Nous avons abordé trois thèmes : se faire voir, la rémunération globale et le plan personnel de croissance.

Il est temps maintenant de penser aux préparatifs d'avant voyage. Avant d'amorcer un virage pour rendre notre organisation plus mobilisatrice pour les jeunes de la génération Y, il est important de prendre le temps de déterminer le profil des talents recherchés. Pour ce faire, nous allons nous attarder à cinq thèmes : cerner les valeurs, se rallier à une mission commune, partager une même vision d'avenir, déterminer les talents nécessaires et éviter les erreurs coûteuses.

Le gestionnaire à la recherche de la perle rare doit orienter sa stratégie de recrutement en ayant en tête l'objectif de répondre à la question suivante : « Pourquoi irais-je travailler chez vous ? » Dans les conditions actuelles du marché de l'emploi, il est clair que le rapport de force entre le candidat et l'employeur a bien changé. Un gestionnaire que j'ai rencontré récemment dans un colloque sur l'entrepreneurship m'a mentionné avoir maintenant le sentiment que c'est lui, et son entreprise, bien plus que les jeunes candidats, qui passe en entrevue. Récemment, il m'a même avoué s'être arrêté à la mi-entrevue pour demander à la blague au jeune candidat si ses réponses le satisfaisaient jusqu'à maintenant.

Bien sûr que de s'inspirer de ce que fait la concurrence n'est pas un péché sauf qu'il est essentiel de pousser la réflexion plus à fond. Les entreprises qui croient qu'ils vont mobiliser les jeunes de la génération Y avec une chaise à massage, une table de baby-foot ou un party à tous les mois font fausse route. La relation qu'ont les jeunes avec le travail est fort différente de celle des générations antérieures : ils recherchent davantage à s'associer à une cause, à s'investir dans un projet porteur de sens. Les changements artificiels et purement esthétiques implantés sans vision seront sans effet.

Lorsque j'ai commencé ma recherche, je m'attendais à trouver des petits trucs pratiques, une petite recette miracle. Bien sûr j'ai croisé des entreprises qui s'arrêtent à l'accessoire et qui se contentent de mettre en place des aménagements concrets avec un certain succès. Mais ce que j'ai découvert c'est que les gestionnaires qui réussissent à véritablement engager profondément leurs employés dans leur travail sont beaucoup plus humains et profonds et surtout pas superficiels ; ce sont des phares qui éclairent, guident et orientent selon un point de vue mûri. Ils dégagent cette assurance et cette certitude d'une assise solide, articulée et cohérente. C'est la différence entre réussir et exceller. C'est ce qu'il faut pour accéder à un autre niveau.

Afin de cerner ce qui est unique à son organisation ou, à plus petite échelle, à son département ou groupe de travail, il faut bien déterminer ses valeurs, sa mission actuelle et sa vision du futur.

« J'EMBAUCHE SEULEMENT DES IDIOTS ET DES INCOMPÉTENTS. J'AIME ÊTRE LE PLUS FUTÉ DANS CE BUREAU. »

17| Cerner les valeurs du groupe

La première étape de la réflexion sur l'unicité et le spécifique du groupe de travail auquel on appartient consiste à bien cerner les valeurs des gens qui en font partie. Tout comme les générations ne sont seulement qu'un reflet de la société dans laquelle ils évoluent, les employés sont le reflet de leur employeur. Les gens s'associent à des groupes qui partagent les mêmes valeurs qu'eux mais ces valeurs ne sont pas dictées par l'organisation à laquelle ils appartiennent. C'est quelque chose qui fait intrinsèquement partie de chacun de nous. Il ne s'agit donc pas d'établir de nouvelles valeurs pour notre organisation mais de découvrir ce que nous avons en commun et qui est obscurci par un manque de cohésion et de communication.

Avant d'en faire un exercice de groupe, il faut d'abord prendre individuellement le temps de réfléchir sur ses propres valeurs. Dans son livre *La mobilisation des personnes au travail*, Michel Tremblay fait la distinction entre les valeurs «productivistes» (efficacité, économie, effort, rendement, etc.) et les valeurs «humanistes» (collaboration, confiance, initiative, etc.) Selon lui, la mobilisation a besoin et se nourrit de valeurs avant tout humanistes (justice, respect, etc.) N'allez pas croire que je pense que la profitabilité et les autres valeurs de nature productivistes ne sont pas importantes. En fait, je crois que la rentabilité d'une entreprise est essentielle mais pas comme une fin en soi mais plutôt comme un moyen d'accomplir des choses encore plus grandes. Comme le mentionnent Jim Collins et Jerry I. Porras dans leur livre *Built to last*: « Les profits pour une entreprise sont comme l'oxygène, l'eau, la nourriture et le sang pour l'humain. Ils ne font pas partie de nos buts dans la vie mais sans eux, il n'y a pas de vie. » Prenez quelques minutes pour vous poser les questions suivantes. Imaginez que vous démarrez une nouvelle entreprise. Quelles sont les valeurs que vous aimeriez y retrouver indépendamment du secteur d'activité? Il doit s'agir de valeurs en lesquelles vous croyez si profondément que vous les conserveriez même si le marché où vous évoluez venait à vous pénaliser à cause de celles-ci. Par exemple, les valeurs de mon entreprise sont : confiance, créativité et focus. J'ai retenu ces valeurs parce qu'elles me définissent comme individu. Je fais naturellement confiance aux gens, j'adore développer des stratégies et des solutions créatives et j'ai du plaisir à maintenir le focus sur les choses importantes avec une certaine rigueur. Même si une de ces trois valeurs venait à avoir un impact négatif sur la croissance de mon organisation pour une raison quelconque, je les conserverais. Elles m'habitent et elles m'allument. Impossible de m'en défaire !

Une fois que l'exercice d'identification des valeurs a été fait sur une base individuelle, je vous propose de les partager en groupe. Cela peut se faire à très petite échelle (couple, famille), à moyenne échelle (équipe de travail, département, classe, école, ville ou usine) ou à grande échelle (entreprise, commission scolaire, province, pays).

Une façon de faire consiste à créer une équipe *ad hoc* en réunissant un échantillon représentatif de l'ADN du groupe concerné composé à la fois de chefs d'équipe et de vétérans (5 à 12 personnes). Tentez de faire des regroupements entre les idées des participants et demandez à ces derniers de discuter de leurs conclusions avec leurs collègues de l'extérieur du groupe par après. Même si votre organisation affiche déjà fièrement ses valeurs, sa mission et sa vision, il est important de refaire cet exercice au moins annuellement. Aussi, rien ne vous empêche d'identifier les valeurs particulières à votre groupe plus restreint (en lien avec celles de l'organisation). Vous voulez un petit truc pour savoir si c'est le temps de passer en revue les valeurs de votre organisation ? Faites un test auprès de cinq personnes en leur demandant de vous nommer les valeurs de l'entreprise. Tirez-en vos propres conclusions…

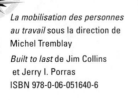

La mobilisation des personnes au travail sous la direction de Michel Tremblay

Built to last de Jim Collins et Jerry I. Porras
ISBN 978-0-06-051640-6

Carnet de route du gestionnaire

Quelles sont les valeurs fondamentales que j'aimerais partager avec nos collègues, indépendamment du secteur d'activité ?

1) Personnellement ;

2) Équipe *ad hoc* (5 à 12 personnes) : échantillon représentatif de l'ADN du groupe (chefs d'équipe et vétérans) ;

3) Autres collègues.

La tragédie de la vie n'est pas qu'elle finit tellement vite, mais que nous attendons tellement longtemps pour la commencer.

— W.M. Lewis

18| Se rallier à une mission commune

Après avoir cerné les valeurs de notre organisation, arrêtons-nous maintenant à l'importance de partager une mission commune.

Pourquoi notre entreprise, unité ou équipe existe-t-elle? Pourquoi j'en fais partie? En quoi voulons-nous devenir les meilleurs? Ces questions en apparence philosophiques sont essentielles pour identifier la mission véritable qui nous unit. La mission d'une organisation doit être excitante. Elle doit aller nous chercher jusque dans les tripes.

Imaginez deux fabricants de produits pharmaceutiques. Le premier se décrit comme le leader de son marché déterminé à offrir une plus grande valeur ajoutée à ses clients grâce au dynamisme de ses partenaires. Le deuxième se présente comme une organisation déterminée à sauver toutes les femmes atteintes d'un cancer du sein. Vous voyez ce que je veux dire? La mission devrait être assez grande et audacieuse pour pouvoir être toujours poursuivie sans jamais être atteinte. Quelque chose qui va nous guider dans notre évolution et qui va nous inspirer à aller plus loin. Au célèbre Pike Place Fish Market de Seattle d'où est inspiré le concept FISH utilisé dans des milliers d'entreprises dans près de 30 pays, la mission des poissonniers n'est pas simplement de vendre du poisson mais plutôt d'être des agents de changement. Tout le monde peut vendre des poissons mais peu peuvent se vanter de faire une différence dans la vie des gens en le faisant. Dans les moments actuels de grands bouleversements, il est plus important de savoir qui nous sommes que de savoir où on s'en va parce que la destination risque de changer.

De façon à élaborer une mission inspirante, je vous encourage à avoir recours au même groupe d'individu ayant réfléchi sur les valeurs de l'organisation en leur demandant cette fois : « Quelle devrait être notre mission pour que j'aie encore le désir de continuer à y travailler même si je gagnais le million à la loterie ? » Une autre question pourait être : « Que faisons-nous d'unique et de particulier et que personne d'autre ne fait ? »

Une fois les idées recueillies, on peut en prioriser quelques-unes et leur faire passer le test des cinq pourquoi de manière à cerner l'énoncé le plus profond et le plus percutant sur le plan des émotions. Premier exemple de mission : Aider les entreprises à motiver leurs employés de la génération Y. Pourquoi est-ce important ? Pour avoir des employés plus engagés. Pourquoi (2ème) ? Pour que les gens aient plus de plaisir au travail. Pourquoi (3ème) ? Pour augmenter la compétitivité des entreprises au Québec. Pourquoi (4ème) ? Pour maintenir le dynamisme de notre société. Pourquoi (5ème) ? Pour assurer l'avenir de mes enfants et des prochaines générations.

Une fois que le groupe *ad hoc* a obtenu un consensus sur une proposition de mission, il est intéressant d'identifier tout ce qui peut paraître actuellement en contradiction avec cet énoncé dans les différents processus de l'entreprise : embauche, rémunération, supervision, évaluation, communication, etc. Par exemple, afin d'être cohérent avec la mission de mon entreprise qui est d'assurer l'avenir des prochaines générations, je bâtis des alliances avec des partenaires âgés de 18 à 30 ans en priorité (design graphique, conception de site Internet, relations de presse, etc.) Cependant, je m'entoure aussi de gens plus âgés dans des domaines où il n'y a pas d'équivalent plus jeune (mentorat d'affaires, coaching d'écriture, coaching en présentation, etc.)

Lorsque le groupe a terminé un premier inventaire, on peut les inviter à refaire le même exercice avec quelques collègues. Puisque le meilleur moyen de communiquer la mission est l'exemple, cette démarche va permettre d'éliminer un maximum d'incohérences entre ce que l'entreprise fait et ce qu'elle dit qu'elle fait.

Une fois que le consensus a été obtenu sur une mission, il reste ensuite à la communiquer à l'ensemble de l'organisation. J'ai interviewé **Carmela Rubiano, directrice ressources humaines chez Ivanhoé Cambridge** à ce sujet. L'entreprise a figuré au palmarès des 50 employeurs de choix au Canada en 2005, 2006 et 2007. Avec ses activités pancanadiennes et à l'international, le défi pour la haute direction de bien communiquer les valeurs et la mission de l'entreprise à tous ses employés est bien réel. Pour y arriver, les dirigeants effectuent une tournée de toutes leurs installations pour s'adresser d'abord aux gestionnaires puis à tous les employés à propos de la stratégie globale de l'entreprise (incluant les valeurs, la mission et la vision). Sur une base plus régulière, le journal interne trimestriel et l'intranet de l'entreprise sont utilisés en guise de renforcement.

www.pikeplacefish.com
www.fishphilosophy.com
www.ivanhoecambridge.com
www.canadas50best.com

Carnet de route du gestionnaire

Pourquoi notre entreprise, unité ou équipe existe-t-elle ?

En quoi voulons-nous devenir les meilleurs ?

Quelle devrait être notre mission pour que j'aie encore le désir de continuer à y travailler même si je gagnais le million à la loterie ?

Que faisons-nous d'unique et de particulier et que personne d'autre ne fait ?

Qu'est-ce qui semble en contradiction avec notre mission dans nos différents processus :

• Embauche ;

• Rémunération ;

• Supervision ;

• Évaluation ;

• Communication.

Répondre aux questions précédentes :

1) Personnellement ;

2) En équipe *ad hoc* (5 à 12 personnes) : échantillon représentatif de l'ADN du groupe (chefs d'équipe et vétérans) ;

3) Avec les autres collègues.

Une vision sans action est un rêve. Une action sans vision est un cauchemar.

— Proverbe japonais

19| Partager la même vision d'avenir

Un élément majeur de nos préparatifs consiste, dans notre organisation, à partager la même vision d'avenir. Je me permets d'insister sur le sens du mot partager. Partager une vision est tellement plus qu'élaborer un beau logo. Il s'agit de nommer le sens profond commun donné par tous à ce qui les motive profondément à être là. Nous sommes ici dans l'ordre de «l'accomplissement» plus que du «faire». Pour dresser ou renouveler la vision d'avenir de notre organisation ou département, on peut procéder de la même façon que lors de l'établissement de la mission de l'entreprise, en réunissant le comité *ad hoc* qui agira ensuite de même auprès des collègues. Une réflexion sur les questions qui suivent est généralement très inspirant et mobilisant. Le défi et la force de l'exercice résident dans le consensus sur la définition de la vision. Transportons-nous dans 10 ou 20 ans et posons-nous les questions suivantes : Qu'est-ce qu'on aimerait voir ? À quoi ressemblerait notre entreprise ? Qu'est-ce qu'elle aurait créé ?

Une vision doit dresser une description vivante. Elle doit susciter passion, émotion et conviction. Une façon d'y arriver consiste à utiliser des mots imagés qui vont rester dans la tête des gens. La vision devient une photo cible mentale de la destination qu'on veut atteindre comme organisation. Elle doit être assez large et claire pour fournir une direction à suivre et guider l'employé au quotidien. Elle procure une clarté dans les objectifs. (De la même façon que la vision d'une médaille aux jeux olympiques motive l'athlète à se présenter à chaque entraînement.) Une vision, c'est l'image projetée par le phare qui éclaire notre route.

La cible peut être quantitative ou qualitative. Elle doit être audacieuse au point de requérir non seulement beaucoup d'efforts mais aussi un peu de chance. Puisque nous avons tendance à sous-estimer ce qu'on peut accomplir sur de longues périodes, il est préférable d'avoir une vision qui a des probabilités de succès de l'ordre de 50 à 70 % selon notre point de vue actuel.

La vision de l'organisation devient vivante lorsqu'elle est personnalisée par l'employé. Une vision partagée permet à l'employé de se questionner sur son rôle et de se considérer ensuite comme un véritable agent de changement. Par les échanges, le partage d'idées et l'exploration des possibilités au quotidien, les employés donnent vraiment vie à la vision. Chacun doit aligner sa vision personnelle sur celle de l'équipe et ainsi tous peuvent s'entraider les uns les autres dans l'atteinte de leurs objectifs.

Un sondage CROP mené en 1998 puis en 2000 révélait que « 58 % des employés au Québec pensent que leur patron ne sait pas où il s'en va. Parmi les 42 % qui estiment qu'il a une vision, seulement 19 % y adhèrent totalement (soit 8 % de l'effectif total). »

Il n'est pas nécessaire de motiver ou de persuader un employé quand il intègre la mission et la vision de l'entreprise à lui-même. Sa motivation vient alors de lui. C'est à vous, en tant que gestionnaire, de veiller à cet arrimage.

www.crop.ca

Carnet de route du gestionnaire

Transportons-nous dans 10 ou 20 ans :

Qu'est-ce que nous aimerions pour notre organisation ?

À quoi ressemblerait notre entreprise ?

Qu'est-ce que notre groupe aurait créé ?

Répondre aux questions précédentes :

1) Personnellement ;

2) Équipe *ad hoc* (5 à 12 personnes) :
   échantillon représentatif de l'ADN du groupe (chefs d'équipe et vétérans) ;

3) Autres collègues.

Est-ce que notre vision dresse une description vivante qui suscite passion, émotion et conviction ?

Est-elle assez large et claire pour fournir une direction à suivre et guider nos employés au quotidien ?

20| Déterminer les talents nécessaires

Nous arrivons maintenant à l'étape cruciale de nous entourer de l'équipage nécessaire pour arriver à bon port.

Un bon gestionnaire concentre ses énergies seulement sur les jeunes talents qui possèdent un profil correspondant à celui recherché par son organisation. De la même façon, par exemple, qu'une entreprise qui offre flexibilité et rapidité de livraison, mais à un prix légèrement supérieur à ses concurrents, ne cherche pas à attirer les clients pour qui le coût est le critère de décision numéro un, le gestionnaire doit segmenter le marché des candidats potentiels de façon à attirer seulement ceux qui cadrent avec la culture organisationnelle. Comment faire?

Tout d'abord, sélectionner les employés qui performent le mieux actuellement dans ce domaine. Analyser ensuite les caractéristiques pertinentes à leur performance et s'en servir pour faire la description des talents des employés recherchés pour les fonctions à combler. Voici quelques pistes:

- Qui sont ces employés idéaux? Quel est leur profil (sociodémographique, formation, expériences antérieures, valeurs, etc.)?
- Pourquoi sont-ils les meilleurs? (Quels sont les résultats tangibles qui nous font croire qu'ils sont les meilleurs?)
- Comment arrivent-ils à de tels résultats (méthodes, trucs, stratégies, habiletés, etc.)?

Ensuite, identifier, parmi les trois suivants, un talent critique ou majeur requis pour ce rôle :

- Talent créatif (axé sur le pourquoi) ;
- Talent analytique (axé sur le comment) ;
- Talent relationnel (axé sur le qui).

Une fois le talent critique identifié, il s'agit de bâtir des questions, à poser aux éventuels candidats, questions qui vont vous permettre de cerner la présence ou non de ce talent chez lui.

Ensuite, il faut valider votre démarche en posant les mêmes questions à des employés qui performent actuellement dans leur rôle et à d'autres qui ont des résultats moindres. S'il y a des différences significatives dans les réponses de ces deux groupes d'employés, cela signifie que ces questions permettent de discriminer la présence du talent recherché. Sinon, il faut retravailler les questions et recommencer l'exercice de validation. Les bonnes questions seront retenues comme outils pour dépister les bons candidats que vous recherchez.

Le tout doit se faire d'une manière très informelle et transparente en expliquant aux employés impliqués que l'objectif de cette démarche est d'embaucher des nouveaux employés qui partagent des valeurs communes avec eux.

Dans un deuxième temps, il faut revalider la pertinence des questions en vérifiant s'il y a bien un lien entre les réponses des nouveaux candidats et leurs performances dans l'accomplissement de leur rôle dans l'entreprise. Il est impératif pour le gestionnaire de trouver les bons candidats. Un employé mal sélectionné s'avère une source de nombreux problèmes.

Carnet de route du gestionnaire

Quels sont les employés qui performent le mieux et quel est leur profil (sociodémographique, formation, expériences antérieures, valeurs, etc.) ?

Quels sont les résultats tangibles qui me font croire qu'ils sont les meilleurs ?

Comment arrivent-ils à de tels résultats (méthodes, trucs, stratégies, habiletés, etc.) ?

Quelles questions puis-je poser à d'éventuels candidats pour cerner leurs talents ?

Y a-t-il une différence entre les réponses des employés qui performent mieux et les autres ?

Y a-t-il un lien entre les réponses des nouveaux candidats et leurs performances ?

21| Éviter les erreurs coûteuses

Effectuer une sélection rigoureuse du personnel est coûteux à plusieurs points de vue. Mais une mauvaise sélection est encore plus coûteuse. Comme le mentionne Jim Collins dans son best-seller *Good to Great*: « Une grande vision sans grands employés est inutile. » Il ajoute que: « Les bons individus n'ont pas besoin d'être gérés de près pour être performants, ils possèdent la motivation intrinsèque de bâtir quelque chose de plus grand qu'eux. » Selon Marcus Buckingham et Curt Coffman, auteurs de *First, Break all the rules*, il en coûte jusqu'à 1,5 fois le salaire d'un employé pour trouver, embaucher et former un nouveau candidat. Cela exclut la valeur attribuée à la perte d'un employé ayant développé une relation privilégiée avec un ou plusieurs clients ou partenaires importants. C'est pourquoi il est important d'en calculer le retour sur investissement en comptabilisant les différents coûts de recrutement d'un mauvais candidat.

J'ai interviewé **Michel Labrecque, vice-président corporatif ressources humaines chez CMP** à ce sujet. L'entreprise lauréate d'un prix IRIS en 2002, embauche environ 500 personnes et est souvent citée dans des médias du monde des affaires dont Affaires Plus et PME pour l'excellence de ses pratiques en ressources humaines. Pour effectuer son recrutement, l'entreprise utilise l'approche *Topgrading* inspirée de grandes entreprises américaines telles que General Electric, Microsoft et Proctor & Gamble. Cette approche permet à CMP de recruter parmi les 10 % supérieurs des candidats disponibles.

Chaque employé passe par trois entrevues dont la dernière, très structurée, peut durer de six à neuf heures en continu pour les cadres et de deux à trois heures pour les employés d'usine. « J'ai pu dépenser à peu près 350 000 $ en recrutement pour cent vingt-cinq postes et je n'avais pas à me justifier » affirme monsieur Labrecque.

Je comprends que vous n'ayez pas nécessairement cette latitude mais je pense qu'aucun dirigeant ne peut rester insensible à une analyse solide des différents coûts de roulement de personnel. Voici donc une liste des coûts à considérer dans votre analyse à présenter à l'équipe de direction.

COÛTS DE CESSATION :

Entrevue de départ. Il s'agit de comptabiliser le taux horaire du gestionnaire qui effectue la rencontre avec l'employé qui quitte et de multiplier par la durée de la rencontre (incluant la préparation). Cette rencontre est difficile à faire à cause de l'émotivité, mais essentielle pour s'améliorer comme employeur. Elle permet aussi de mettre fin au lien d'emploi sur une note plus positive. On ne sait jamais où cet employé va se repositionner (client ou fournisseur ?) et quel genre de message il va véhiculer concernant notre organisation dans son entourage. N'oubliez pas qu'un client insatisfait parle de ses mésaventures à une dizaine de personnes en moyenne. Un employé insatisfait en fera tout autant. Afin d'obtenir une discussion plus ouverte, j'ai déjà vu un directeur général conduire personnellement les entrevues de départ pour chaque employé.

Tâches administratives. Pensez aux tâches à faire lors de l'embauche mais à l'envers : paye, avantages sociaux, autres avantages, accès au bâtiment, accès aux informations, mise à jour de la description de poste et de l'organigramme, communications à l'interne et avec les clients ou les fournisseurs (le cas échéant), ménage du bureau ou du casier, uniforme et autre matériel appartenant à l'entreprise à récupérer, etc. Faites l'inventaire complet du temps requis et du taux horaire de la personne responsable d'effectuer ces opérations.

Indemnités de départ. Assurez-vous d'avoir un dossier d'employé bien documenté et d'avoir respecté le principe de la gradation des sanctions pour éviter tout grief ou congédiement abusif. Je connais un employeur qui a dû défrayer des centaines de milliers de dollars suite au départ d'un employé qui considérait avoir été lésé dans le processus.

COÛTS DE REMPLACEMENT :

Recherche de candidats. Comptabiliser les coûts d'analyse des besoins et de mise à jour de la description de poste, les coûts d'affichage interne (note papier ou électronique, affichage sur le site Internet) et externe (portail de recherche d'emplois, journaux, chasseur de têtes) et les coûts de tri et d'évaluation des candidatures.

Entrevues. Comptabiliser le temps et le taux horaire de tous les intervenants impliqués (incluant le temps de préparation, d'analyse et de discussion) et les frais de location de salle ou de repas (le cas échéant).

Tests psychométriques ou autres.

Frais de déplacements des candidats et des recruteurs.

Examens médicaux et enquêtes criminelles et de références.

Tâches administratives : paye, avantages sociaux, autres avantages, accès au bâtiment, accès informatique, mise à jour de la description de poste et de l'organigramme, communications à l'interne et avec les clients ou les fournisseurs (le cas échéant), achat de nouveau matériel, uniforme, etc. Faites l'inventaire complet avec le temps requis et le taux horaire de la personne responsable d'effectuer ces opérations.

Acquisition et diffusion de l'information. Affichage interne ou externe (avis de promotion) et visite ou tournée des clients ou des fournisseurs.

COÛTS DE FORMATION :

Officielle et officieuse. Comptabiliser le temps et le taux horaire de toutes les personnes impliquées dans la formation d'accueil, la formation technique et dans le coaching ou le compagnonnage. Évaluer aussi toutes les petites interruptions auprès des collègues pour des demandes ponctuelles d'information de la part du nouveau venu.

Écart de productivité. Estimer toutes les erreurs et pertes de temps potentielles normales lors de l'apprentissage d'un nouveau poste.

COÛTS INTANGIBLES :

Charge accrue pour les autres employés pour combler la courbe d'apprentissage de la recrue.

Pression et tension. Les gens tolèrent des situations frustrantes parce qu'ils hésitent à s'investir dans la résolution d'un problème en sachant que demain la composition de l'équipe sera peut-être à nouveau changée.

Détérioration du moral des employés en place qui voient les nouveaux partir aussi vite qu'ils sont venus et qui commencent à penser que le gazon est peut-être effectivement plus vert ailleurs.

Perte de travail d'équipe parce que créer une chimie au sein d'un groupe nécessite un climat de confiance qui ne peut s'obtenir sans stabilité dans la composition de ses membres.

Perte de clientèle. Une chargée de projets que j'avais recrutée chez un concurrent est retournée chez son ancien employeur à titre de représentante six mois après être restée chez nous. Elle possédait maintenant beaucoup d'informations privilégiées sur notre entreprise et elle avait eu le temps de développer de bonnes relations avec plusieurs de nos clients. Résultat : plusieurs milliers de dollars en ventes de perdues ! Ce n'est qu'après avoir entendu ses excuses après son départ que je compris qu'elle n'avait jamais eu l'intention de travailler chez nous très longtemps. Sûrement qu'avec un meilleur processus d'embauche nous aurions pu démasquer son plan machiavélique.

Vous trouvez que cet exercice est long et rigoureux? Vous savez très bien qu'embaucher un mauvais employé est coûteux? Vous avez probablement raison. Sauf que lorsqu'on y attribue une valeur monétaire, cela prend une dimension beaucoup plus concrète et cela peut débloquer bien des budgets… Un joueur étoile ne fait-il pas la différence entre une équipe en survie ou en domination? De plus, ce genre d'analyse peut être un mandat intéressant à confier à un stagiaire (rémunéré ou non).

Good to Great de Jim Collins
ISBN 0-06-662099-6

First, Break all the rules
de Marcus Buckingham
et Curt Coffman
ISBN 0-684-85286-1

www.cmpdifference.com
www.affairesplus.com
www.magazinepme.com

Carnet de route du gestionnaire

Combien nous coûte l'embauche d'un mauvais candidat?

- **Coûts de cessation (entrevue et indemnités de départ, tâches administratives);**

- **Coûts de remplacement (recherche de candidats, entrevues, tests psychométriques ou autres, frais de déplacements, frais d'examens médicaux et d'enquêtes, tâches administratives, acquisition et diffusion de l'information);**

- **Coûts de formation (officielle et officieuse, écart de productivité);**

- **Coûts intangibles (charge supplémentaire de travail, pression et tension, détérioration du moral, perte de travail d'équipe et de clientèle).**

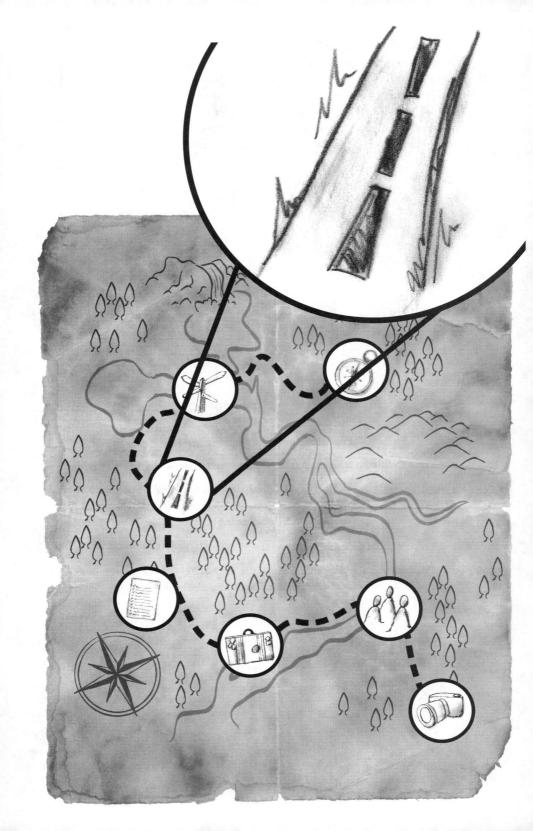

V Le parcours

Connaître ses employés

Pour amorcer notre périple, nous avons d'abord observé notre point de départ : le contexte économique actuel d'où nous avons retenu quatre points importants : la concurrence mondiale féroce, la position précaire du Québec, la pénurie criante de main-d'œuvre qualifiée et l'absentéisme aux proportions alarmantes.

Ensuite, nous avons dressé le portrait de nos compagnons de voyage, soit le profil de la génération Y, où nous avons abordé six thèmes : le choc des valeurs, le temps c'est plus que de l'argent, une structure organisationnelle évolutive, l'esprit de famille, bye bye boss, bonjour mentor et l'agent libre.

Après, nous nous sommes inspirés des meilleures pratiques des entreprises récipiendaires de prix d'excellence en gestion des ressources humaines pour identifier les bagages nécessaires afin d'atteindre notre destination. Nous avons abordé trois thèmes : se faire voir, la rémunération globale et le plan personnel de croissance.

Nous venons d'effectuer nos préparatifs d'avant voyage : déterminer le profil des talents recherchés. Pour ce faire, nous nous sommes attardés à cinq thèmes : cerner les valeurs du groupe, se rallier à une mission commune, partager la même vision d'avenir, déterminer les talents nécessaires et éviter les erreurs coûteuses.

Posons-nous maintenant la question suivante : quel voyage l'employé veut-il faire ? Où veut-il aller et comment ? Afin de bien cerner le parcours qu'il veut emprunter, nous devons connaître les désirs de l'employé. Dans ce but, nous allons prendre soin, dans un premier temps, d'établir une relation de confiance entre nous. Nous pourrons ensuite nous mettre à son écoute pour mieux le connaître.

« JE SUIS DÉÇU DE VOTRE RENDEMENT. IL Y A DES LUNES QUE VOUS NE M'AVEZ SUGGÉRÉ DES IDÉES INNOVATRICES À IGNORER. »

Tes actes parlent si fort que je n'entends pas ce que tu dis.

— Ralph Waldo Emerson

22| Établir une relation de confiance

D'après Zig Ziglar, un conférencier américain reconnu à travers le monde dans le domaine de la vente, il y a 5 raisons pour lesquelles les clients n'achètent pas un produit ou un service: ils n'ont pas le goût, ils n'en ont pas besoin, il n'y a pas d'urgence, ils n'ont pas d'argent ou ils n'ont pas confiance. De ces raisons, la cinquième est certainement la plus importante et en plus, c'est probablement la seule sur laquelle nous avons un certain contrôle.

Faisons un petit test afin de voir si ces obstacles à l'achat peuvent s'appliquer au désir d'un employé à s'engager plus à fond dans son travail. Il est clair qu'un employé qui n'a pas le goût d'être à son travail ne peut pas s'y investir. Ensuite, si l'employé n'a pas besoin de ce travail pour subvenir à ses besoins physiques ou autres, la motivation n'y sera pas. Vient ensuite l'urgence. Nous sommes d'accord que l'avenir de notre poste ou de notre entreprise peut être un incitatif à agir. Le manque d'argent ne s'applique pas directement mais le manque de temps (une autre devise d'une plus grande valeur) peut effectivement être un obstacle à une plus grande implication au travail.

Vient finalement la confiance. Qui veut s'engager à fond pour une entreprise ou un patron qui ne respectent pas leur parole? À cet effet, une étude menée à la Florida State University publiée en janvier 2007 affirme que près de 40% des patrons sont des menteurs. D'après les 700 personnes sondées, deux patrons sur cinq ne tiennent pas parole et plus du quart critiquent ceux qu'ils dirigent en présence de collègues. Les travailleurs coincés dans une relation malsaine avec un patron sont davantage aux prises avec la fatigue, la tension au travail, la nervosité, la déprime et la méfiance, ont constaté les chercheurs. Plus près de nous, un sondage exécuté par la firme Léger Marketing pour le compte du groupe Adecco Québec et du Conseil consultatif de la gestion du personnel au gouvernement du Québec auprès de 640 jeunes de 16 à 30 ans a révélé que 90 % d'entre eux considèrent les caractéristiques humaines chez un patron comme prioritaires. Voici un tableau qui résume les résultats du sondage.

Quelle est la principale attente de la génération Y envers leurs patrons ?	
Intégrité et respect	Pour 66 % des répondants
Authenticité et honnêteté	Pour 61 % des répondants
Communication et ouverture	Pour 50 % des répondants
Empathie et compréhension	Pour 38 % des répondants

Poursuivons cette piste afin de voir comment un gestionnaire peut établir une véritable relation de confiance avec chacun de ses employés.

Que ce soit avec un candidat lors d'une entrevue ou avec un employé lors d'une rencontre individuelle, il importe d'abord de rechercher à établir une relation afin de graduellement bâtir un climat de confiance. Il ne faut pas voir cela comme une stratégie de manipulation. Il s'agit simplement de s'intéresser vraiment à la personne assise en face de nous afin de mieux la connaître. Cela devrait prendre la forme d'un questionnement ouvert sur ses valeurs, ses talents et ses attentes vis-à-vis son superviseur.

Dans son livre intitulé *When Fish Fly*, John Yokoyama, le fondateur du Pike Place Fish Market de Seattle mentionne : « Mes employés sont d'abord des personnes puis des poissonniers. Je m'intéresse vraiment à leur vie pas comme un moyen détourné d'obtenir leur engagement mais comme une fin en soi. »

Carnet de route du gestionnaire

Quels gestes devons-nous éviter pour ne pas miner la confiance de nos employés ?

Est-ce que nous respectons notre parole donnée et nos engagements ?

Est-ce que nous acceptons de mettre du temps pour favoriser le dialogue avec nos employés ?

Quels moyens pouvons-nous prendre pour nous mettre à leur écoute ?

www.ziglar.com
www.fsu.edu
www.legermarketing.com
When Fish Fly de John Yokoyama et Joseph Michelli.
ISBN 1-4013-0061-8
www.pikeplacefish.com
www.fishphilosophy.com

23| Parlez-moi de vous!
Quelles valeurs voulez-vous transmettre à vos enfants?

Il s'agit là du meilleur moyen de bien cerner le parcours que votre employé veut emprunter. Un vieux sage disait que nous avons été créés avec une bouche et deux oreilles et qu'il fallait s'en servir dans ces proportions.

Il est peut-être plus facile de débuter cet exercice avec un nouvel employé plutôt qu'avec quelqu'un qui collabore avec vous depuis un certain temps. Mais puisque vous devrez le faire avec tous vos employés, je vous suggère d'aborder simplement la personne en lui disant que même si vous travaillez ensemble depuis un certain temps, vous n'avez jamais vraiment pris le temps d'apprendre à la connaître sur une base personnelle. Il est préférable de tenir cette rencontre dans un endroit neutre : restaurant ou salle de réunion.

Une fois la relation de confiance établie, il est plus facile pour l'employé de discuter ouvertement avec son gestionnaire sur la manière dont les choses se passent actuellement pour lui d'un point de vue personnel ou organisationnel. La relation de confiance est celle où l'employé ne se sent pas jugé. Il doit percevoir dans le dialogue le souci de support de son gestionnaire. Les deux veulent accomplir, souvenons-nous, une même mission avec des valeurs communes.

Tout en ayant en tête les valeurs de l'organisation précédemment mises en relief lors du processus de préparation, l'objectif du gestionnaire consiste surtout à s'intéresser à l'autre plutôt que d'essayer de se montrer intéressant. Dans leur excellent livre *Built to Last*, Jim Collins et Jerry I. Porras, citent une question qui leur a été posée souvent par les gestionnaires durant leur recherche : «Comment amener les gens à partager notre idéologie?». Leur réponse : c'est impossible! Le défi consiste plutôt à identifier les individus qui possèdent déjà une pré-disposition favorable envers ces idéaux, les attirer puis les retenir et laisser partir les autres. Chacun possède des besoins uniques et une manière unique d'y subvenir et l'objectif ici est de découvrir ce qui allume les gens.

Essayez de découvrir :

Ses idéaux
- Quels sont les idéaux que tu vises?
- Dans quelles causes es-tu engagé?
- Quelles sont tes passions?
- À quoi occupes-tu tes loisirs?
- Quelles sont tes lectures?
- Qui sont tes héros ou tes modèles et mentors?

Ses raisons d'être là
- Qu'est-ce qui t'a attiré ici au début?
- Quel besoin cela satisfait-il?
- Comment cela s'inscrit-il dans ton histoire personnelle?

Ses buts, ce qu'il cherche

- Dans quel but fais-tu ce que tu as à faire?
- Quelle expérience cherches-tu à créer au quotidien avec tes clients et/ou collègues?
- Quelles sont les raisons de dire que ta journée de travail a été bonne?
- Qu'est-ce qui te rends fier de ta journée?
- Qu'est-ce que tu aimes dire de ton travail?

Quelles valeurs veut-il transmettre à ses enfants?

- En quoi veux-tu être un exemple pour tes enfants ou pour tes proches?
- Qu'aimerais-tu qu'on dise de toi dans un éloge personnel?
- Qu'est-ce qui donne du sens à ta vie?
- Quelles sont les attitudes que tu ne peux tolérer chez les autres et qui te font réagir?

Vous faites face à un employé plutôt secret sur ses valeurs personnelles? Soyez patient. L'employé peut se demander si vous avez un véritable intérêt envers lui ou plutôt seulement un intérêt pour vous-même. D'où l'importance d'établir la relation du début. Ne vous gênez pas pour réaffirmer votre intention de mieux le connaître simplement à cause de votre désir qu'il soit satisfait de lui-même et de son milieu de travail.

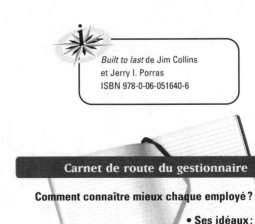

Built to last de Jim Collins
et Jerry I. Porras
ISBN 978-0-06-051640-6

Carnet de route du gestionnaire

Comment connaître mieux chaque employé?

• Ses idéaux;

• Ses raisons d'être là;

• Ses buts, ce qu'il recherche;

• Les valeurs qu'il désire transmettre à ses enfants.

On ne peut rien enseigner à une personne. On peut seulement l'aider à trouver ce qui est en elle.

— Galileo Galilei

24| Quels sont vos talents ?

Vous commencez à connaître mieux votre employé. Je vous suggère maintenant de tenter de découvrir ses talents, avec lui, à l'aide de plusieurs questions ouvertes. Il est souhaitable d'expliquer à la personne que vous avez à cœur son épanouissement au travail et que le but de cette démarche est de pouvoir permettre à chacun de faire ce qu'il sait faire de mieux dans l'organisation en travaillant sur des projets où ses talents seront mis à contribution. Il faut garder en tête la nuance entre talents, habiletés et connaissances.

Talent	Habiletés et connaissances
Spécifique à une personne	Transférables d'un individu à l'autre
Transférable d'une situation à l'autre	Spécifiques à une situation

Plusieurs personnes ne connaissent pas leurs véritables talents. Cela demande une très grande objectivité de pouvoir prendre assez de recul pour reconnaître ce qui fait de nous un être unique. Sachez aussi que nous avons moins de talents que de lacunes mais que la plupart de ces dernières ne sont pas pertinentes et devraient être ignorées. Le seul moment où une lacune devient véritablement une faiblesse c'est lorsqu'on est appelé à exercer un rôle où notre succès exige d'exceller dans un domaine où nous avons des lacunes. La meilleure façon de cultiver les talents d'un employé consiste à lui trouver un rôle dans lequel il pourra les mettre à contribution. Voici quelques suggestions de questions pour guider la discussion.

Rôles maîtrisés rapidement
- Comment arrives-tu à exceller dans ce que tu fais (talents, habiletés, connaissances)?
- Sur quoi les gens te complimentent-ils?
- Qu'est-ce que tu penses faire mieux que la moyenne des gens?

Ses préférences
- Quels aspects de ton travail actuel préfères-tu le plus (et le moins) et pourquoi?
- Qu'est-ce qui te demandes le plus d'énergie?
- Qu'est-ce que tu trouves le plus difficile?
- Dans quel environnement te plais-tu le plus?
- De quel genre de personnes aimes-tu être entouré?
- Comment pourrions-nous améliorer la situation?

Situations qui donnent de la force.
Présenter la mise en situation suivante à votre employé: « Imagine que nous sommes dimanche soir et que tu as hâte au lendemain. »
- Quel serait le rôle parfait pour toi?
- Qu'est-ce que tu aimes tant dans ce travail?
- Dans quelles occasions te trouves-tu le plus performant?

Autres questions révélatrices:
- Quels sont tes critères d'excellence?
- Qu'est-ce qui est enrichissant, qui te donnes la plus grande satisfaction personnelle?
- De quoi es-tu le plus fier? Où as-tu obtenu des résultats?
- Quel est le fil conducteur de tous les emplois que tu as occupés jusqu'ici?

L'idée ici est d'attirer l'attention de l'employé sur son style unique et de l'aider à cerner ce qui fonctionne bien pour lui, de l'aider à comprendre pourquoi ça marche et de lui offrir des opportunités de perfectionner son style. C'est le rôle du gestionnaire d'offrir à l'employé des moyens de capitaliser sur ce qu'il est déjà plutôt que de tenter de l'amener à être ce qu'il ne sera jamais. Bud Grant, ancien instructeur des Vikings du Minnesota, disait : « Je ne peux élaborer des plans de match et ensuite déterminer quels joueurs pourront les réaliser. Un plan est inutile si je ne sais pas d'abord quels jeux mes joueurs peuvent exécuter. Dans ma préparation, je pars toujours des talents de mes joueurs puis j'élabore les jeux, et non l'inverse ». Lorsqu'un individu se joint à une équipe sans connaître ses forces et ses faiblesses, il ne sera pas performant et il risque d'entraîner toute l'équipe avec lui.

Le défi, pour le gestionnaire, est d'aider l'employé à découvrir ses talents cachés et de l'amener à faire le choix de composer avec lui-même. Le gestionnaire doit guider l'employé dans sa recherche intérieure pour manifester ses talents uniques. Il faut bien sûr garder en tête qu'on ne peut changer les gens et qu'on ne peut que faciliter leur processus de découverte.

N'oubliez pas que ce n'est pas le gestionnaire qui fait la réflexion pour l'employé, il ne fait que l'accompagner dans son cheminement. Même si les gens font la réflexion d'eux-mêmes, peu pousseront plus loin leurs démarches afin d'être vraiment heureux au travail. Moi-même, il a fallu que mon patron m'offre une démotion pour que je prenne mon courage à deux mains et décide d'aller dans une nouvelle direction plus risquée, certes, mais combien plus épanouissante pour moi. Je vous rappelle que c'est le rôle intrinsèque du gestionnaire de susciter cette réflexion chez son employé. Dans la chorale d'une amie, un couple de choristes critiquaient sans cesse les choix de la direction et minaient ainsi le moral de leurs collègues. La direction leur a dit, sans faire aucun reproche sur leur attitude négative, qu'elle les sentait malheureux, qu'elle souhaitait les garder à cause de leur potentiel, mais qu'elle préférerait les voir partir s'ils croyaient être plus heureux ailleurs. Leur attitude a changé du tout au tout et maintenant ils s'impliquent à 100 % au lieu de freiner l'entourage.

L'employé doit reconnaître ce qu'il est, et ce, dans ses forces comme dans ses faiblesses. L'erreur est souvent d'essayer d'éliminer les faiblesses ; il vaut mieux les reconnaître et les gérer. Souvenez-vous que l'interprétation de l'employé est plus importante que la vôtre puisque c'est avec la sienne qu'il s'influence lui-même.

L'expérience nous apprend que les comportements passés répétitifs permettent de bien prédire l'avenir. On peut accompagner l'employé en lui demandant d'identifier des exemples spécifiques de choix qu'il a fait pour l'aider à identifier ses forces.

- Comment apprend-t-il : en lisant ou en faisant, en regardant faire ou en écoutant une explication, etc.?
- Qui soutient-il et qui le soutient dans l'organisation et pourquoi?

Aussi, l'employé doit reconnaître ce qu'il n'est pas. Il n'est pas question ici de blâme mais de décrire les faits dans leur réalité, sans jugement. On ne demande pas à l'ours de voler comme le papillon. Reconnaître ce qu'on n'est pas permet de mieux être ce qu'on est. Ainsi on ne perd pas d'énergie à imiter qui que ce soit ni à se dévaloriser dans l'impossible. Donc, aider l'employé à retenir ces principes :

- Ne pas s'éloigner d'où on excelle ;
- Admettre ses limites ;
- Avoir le courage et le réalisme de demander de l'aide ;
- S'entourer de gens qui nous complètent.

Carnet de route du gestionnaire

Comment pouvons-nous guider chaque employé dans la découverte de ses talents ?

- **Rôles maîtrisés rapidement ;**
- **Ses préférences ;**
- **Situations qui lui donnent de la force ;**
- **Ses critères d'excellence et ses limites.**

25| Qu'attendez-vous de moi (ou de nous comme organisation)?

Voici un sujet essentiel à discuter avec l'employé (actuel ou futur) : le style de supervision qu'il privilégie. Il s'agit alors pour vous de découvrir à la fois les attentes de l'employé et de présenter votre façon de travailler avec transparence. Il est crucial d'aborder ce sujet puisque selon plusieurs études, un conflit avec le patron est la principale raison pour un employé de quitter son emploi.

La latitude allouée.
- Est-ce que la personne préfère être encadrée de près ou plutôt avoir carte blanche?
- A-t-elle besoin de contacts fréquents avec son superviseur ou plutôt de travailler en paix?
- Préfère-t-elle avoir des indications strictes ou prendre des initiatives?

Comment seront définies les attentes.

- Quel est le mode de communication privilégié par l'individu? Verbal, écrit, informel, officiel?
- Pour être bien respectées, les attentes du superviseur devraient-elles, selon lui, être imposées ou dialoguées?
- Sera-t-il nécessaire à l'employé de signifier ses attentes au superviseur ou s'il ne sent pas le besoin de le faire? Si oui, comment le faire?
- Quel est le meilleur moment et la meilleure façon?

Vous avez des doutes sur l'impact que peut avoir votre démarche individuelle si elle n'est pas supportée par une volonté profonde de la part de la haute direction? Laissez-moi vous parler de mon expérience à titre de gestionnaire dans une grande entreprise qui, disons-le franchement, n'aurait sûrement pas gagné un prix d'excellence en gestion des ressources humaines à l'époque. Le président résumait lui-même ainsi sa philosophie de gestion du personnel: «Chez nous, quand un employé fait une erreur, on passe par-dessus. Lorsqu'il en fait une deuxième, on lui passe dessus.» Chaque directeur général performant recevait à la fin de l'année une plaque ornée d'un pistolet en guise de reconnaissance. Vous voyez le genre… Malgré ces lignes directrices, j'ai personnellement toujours essayé d'être près de mes employés pour les supporter. Dans cet environnement très compétitif, je recevais régulièrement des employés en larmes dans mon bureau et même un père de famille a tenté de s'enlever la vie. À travers ces crises, en m'intéressant véritablement à leur bien-être, nous avions bâti une belle complicité. J'avais su gagner leur confiance et ils m'ont toujours énormément supporté. Rappelez-vous que le gestionnaire (et non pas le salaire, ni les avantages sociaux ou autres bénéfices, ni un président charismatique) est l'élément principal pour bâtir un environnement de travail motivant. Rappelez-vous aussi qu'il est préférable d'être un bon patron dans une entreprise traditionnelle que d'être un mauvais patron dans une organisation orientée sur le bien-être des employés.

Carnet de route du gestionnaire

Comment puis-je en savoir davantage sur la manière dont nos employés désirent être supervisés?

- La latitude allouée;

- L'établissement des attentes.

26| Qu'est-ce que notre organisation peut offrir selon vous?

Il s'agit ici pour le gestionnaire de bien cerner le degré de satisfaction des besoins de son employé car plus l'ensemble des besoins fondamentaux de la personne sont comblés plus le travail devient un milieu de vie favorable à l'épanouissement personnel et organisationnel.

Je suggère de faire un portrait des besoins de l'employé à quatre niveaux, à partir des besoins de base de l'individu, chacun selon trois angles : le point de vue personnel, le point de vue de supervision et le point de vue organisationnel. Tant que les besoins primaires de l'employé ne sont pas comblés, il est utopique de croire qu'on puisse le motiver. Alors : comment ça va? Comment ça se passe la vie au travail?

D'un point de vue personnel, l'employé cherche son bien-être. Il veut que son emploi lui permette de subvenir à ses besoins : se faire plaisir et éviter d'avoir mal.

- Avoir assez de revenus ;
- Avoir suffisamment de temps pour gérer sa vie personnelle et professionnelle ;
- Avoir assez de vacances et de congés pour se consacrer à ses loisirs ;
- Augmenter la commodité et le confort de son environnement de travail ;

- Rehausser son statut social et son égo, son estime de lui-même ;
- Se maintenir en santé ;
- Maintenir une sécurité et une tranquillité d'esprit ;
- Diminuer ses dépenses : avantages sociaux, régime de retraite, etc.

Du point de vue de ses besoins en supervision, l'employé s'attend, entre autres, à ce que son gestionnaire communique clairement les attentes et les objectifs. Il doit savoir aussi quelle est la meilleure façon de communiquer avec son superviseur s'il a des requêtes à formuler.

Du point de vue organisationnel, l'employé s'attend, à la base, à ce que son entreprise lui fournisse un environnement sécuritaire de même que l'équipement et le matériel nécessaire à son travail.

Carnet de route du gestionnaire

Mes attentes et nos objectifs sont-ils clairement communiqués à nos employés ?

Notre organisation offre-t-elle concrètement l'environnement, l'équipement et le matériel nécessaires ?

Nos employés savent-ils comment nous transmettre leurs requêtes ?

27| Vous sentez-vous utile chez nous ?

Une fois les besoins de base comblés, on accède à un deuxième niveau de besoins : celui de contribuer, de se sentir utile. L'oisiveté est le plus grand facteur démobilisant, l'ennui tue la motivation. Voyez comment les capitaines de navires tiennent leurs marins occupés (astiquage, peinture, etc.)

Du point de vue personnel, l'employé sait que son succès personnel passe par celui de son organisation et vice-versa. Dans sa quête d'une plus grande motivation au travail, l'employé va chercher à :

- Évaluer l'impact qu'il a sur les résultats ;
- Sentir qu'il sert à quelque chose ;
- Assumer davantage de responsabilités ;
- Pouvoir faire ce qu'il sait faire de mieux à tous les jours ;
- Faire une différence.

Du point de vue de ses besoins en supervision, l'employé s'attend à du respect et à une reconnaissance au moins hebdomadaire que son travail est bien fait. Une étude a fait ressortir que les employés talentueux se préoccupent davantage de la confiance de leur gestionnaire une fois que leurs besoins financiers de base ont été rencontrés. Le travail bien fait et la reconnaissance patronale s'influencent mutuellement de façon proportionnelle.

Du point de vue de leurs besoins de "feedback" en supervision, l'employé qui ne reçoit pas d'attention ou de commentaires sur son labeur se demandera ce qu'il vaut aux yeux de son gestionnaire. J'ai récemment eu le plaisir d'entendre Zig Ziglar, conférencier de réputation internationale et toujours aussi inspirant même s'il est maintenant âgé de plus de 80 ans. Il citait une étude selon laquelle 46 % des gens quittent leur emploi non pas pour des raisons monétaires (bien que ce soit souvent le motif soulevé par l'employé pour éviter toute confrontation) mais parce que leur superviseur n'a pas su apprécier le travail bien fait. Tout employé s'attend à ce que ce qu'il fait ou dit soit remarqué et tous ont besoin de rétroaction pour se situer face à son propre engagement à sa tâche. L'employé a besoin que ses opinions soient considérées, qu'on lui suggère comment s'améliorer et qu'on lui offre l'opportunité de travailler sur les points à améliorer.

Du point de vue organisationnel, l'employé a besoin que son entreprise lui fournisse les ressources humaines et financières pour continuer à développer l'entreprise. En retour, l'employé fournit une bonne réponse aux attentes puisqu'il a les moyens humains et financiers de le faire. L'employé qui ne reçoit pas les ressources nécessaires à sa fonction en questionnera l'importance et par le fait même sa propre valeur dans l'entreprise.

www.ziglar.com

Carnet de route du gestionnaire

Comment puis-je m'assurer de transmettre à nos employés ma reconnaissance d'un travail bien fait à chaque semaine ?

Mon employé préfère-t-il une reconnaissance publique ou privée et personnelle ?

28| Faites-vous partie de la gang?

Encore plus fort que le besoin de contribuer est celui d'appartenir à un groupe. Demandez à vos employés comment ils se sentent par rapport à leurs collègues. Qu'est-ce qui fait leur joie au travail dans leurs relations professionnelles? Qu'est-ce qui fait leur sentiment d'appartenance: tel travail d'équipe, le social du midi ou du soir, tel projet en particulier, etc? Quels sont leurs liens privilégiés et pourquoi? Pourquoi se sentent-ils ou non faire partie de la gang?

À ce sujet, j'ai interviewé **Pierre Marc Tremblay, Président et Chef de la direction de Pacini**, entreprise lauréate en 2005 et 2006 au Défi Meilleurs Employeurs au Québec. Pour lui, créer un esprit d'équipe proche d'un esprit de famille est ce qui allume le plus ses jeunes employés de la génération Y. En apprenant à collaborer davantage en équipe, les jeunes découvrent de nouvelles perspectives qu'ils n'ont pas eu beaucoup la chance d'explorer dans une société de plus en plus individualiste et éclatée.

Du point de vue de la recherche de sens sur le plan personnel, les jeunes employés désirent se rallier à des collègues engagés qui partagent une cause commune. Ils veulent sentir que d'autres personnes travaillent dans le même sens qu'eux. Probablement que si leur travail faisait plus de sens, les jeunes ne chercheraient pas aussi désespérément à en trouver un ailleurs en escaladant l'Everest ou en allant soigner des enfants en Afrique. Ils veulent s'associer à une cause qui fait du sens, faire du capitalisme équitable compte parmi leurs valeurs et leurs besoins.

Du point de vue de l'appartenance organisationnelle, l'employé s'attend à la base à ce que son entreprise favorise les liens avec et entre ses employés. Quand les gestionnaires et les employés partagent la même idéologie et les mêmes valeurs une identité collective et personnelle se bâtit et stimule la mobilisation. Les structures de l'entreprise doivent favoriser l'inclusion des personnes et non son dénigrement, sa marginalisation ou sa dévalorisation. Les valeurs communes, l'édification et le respect créent des liens entre l'individu et l'organisation.

www.pacini.ca

Carnet de route du gestionnaire

Comment puis-je favoriser davantage le tissage de liens avec et entre nos employés ?

Est-ce que notre structure favorise l'inclusion plutôt que le dénigrement, la marginalisation et la dévalorisation ?

29| Progressez-vous comme vous le désirez?

Comment le milieu de travail permet-il à chaque employé de grandir? Ultimement, tous cherchent à s'épanouir personnellement et professionnellement au travail, et comme individu, et comme groupe d'appartenance (équipe, département, usine, entreprise, etc.)

D'un point de vue personnel, les gens veulent se sentir en progrès. Cela s'exprime avec des nuances selon les personnes:

- Se sentir bien;
- Grandir, se réaliser;
- Relever des défis, faire des progrès;
- Être en contrôle de sa vie;
- Apprendre.

Du point de vue de ses besoins en supervision, l'employé s'attend à ce que son gestionnaire stimule sa croissance dans des attitudes où il

- Adopte une approche de style mentorat;
- Se soucie véritablement de lui;
- Apprend à le connaître personnellement;
- L'aide à développer ses forces et sa carrière;
- Fait régulièrement un bilan de ses progrès.

Du point de vue des caractéristiques organisationnelles favorisant la croissance, l'employé soucieux de grandir et de s'améliorer espère que son entreprise lui offre

- Des opportunités d'apprendre ;
- Une approche personnalisée ;
- De l'interactivité ;
- De la souplesse : une certaine liberté d'action, de la flexibilité dans sa structure et une rapidité à s'adapter aux changements.

Carnet de route du gestionnaire

Quelles approches pouvons-nous adopter avec nos employés pour les faire progresser ?

Comment notre entreprise peut-elle davantage offrir à chaque employé :

- **Des opportunités d'apprendre ;**

- **Une approche personnalisée ;**

- **De l'interactivité ;**

- **De la souplesse ?**

Par quels moyens vérifierons-nous leur opinion à ce sujet ?

30| Qu'est-ce qui devrait changer?

Voilà que nous avons établi une certaine relation de confiance et qu'on a découvert, d'une manière générale, la situation personnelle de l'employé, ses besoins et ses facteurs de performance. Il se peut qu'il y ait aussi des freins à son épanouissement personnel et professionnel au sein de l'entreprise. Plusieurs irritants ont probablement été dévoilés pendant le processus de dialogue. Il s'agit maintenant de mettre un peu d'ordre en priorisant ce qui empêche l'employé de poursuivre son développement.

De façon à initier le processus, **Pierre Marc Tremblay, Président et Chef de la direction de Pacini,** effectue d'abord une tournée de tous les restaurants pour rencontrer en groupe les employés intéressés à discuter ouvertement avec lui des irritants qui ont des conséquences sur eux individuellement, sur leurs collègues, sur leur superviseur, sur l'entreprise et sur les clients. Plus du quart des employés ont participé volontairement à la démarche et leurs commentaires ont été forts élogieux: ...contents de l'ouverture d'esprit du président, ...fiers qu'il prenne le temps de nous écouter, ...création d'un sentiment d'appartenance, ...côté humain et sincère de Pierre Marc, ...sécurisant, etc.

Les gens qui se disent malheureux au travail n'ont pas toujours le recul nécessaire pour identifier vraiment ce qui cause leurs insatisfactions. Je pense que le gestionnaire a un rôle de partenaire à jouer dans le développement de son personnel. Les premiers irritants soulevés par l'employé peuvent être superficiels mais je vous encourage à approfondir l'échange pour en arriver à discuter des «vraies choses». Il s'agit d'aider l'employé à être davantage conscient de ce qu'il est et de ce qu'il désire d'un point de vue professionnel.

Lors d'un événement organisé par la Chambre de commerce et d'industrie de la rive-sud, je discutais avec une associée dans un cabinet d'avocats spécifiquement sur le point de prendre le temps d'écouter ses employés. J'échange souvent avec des gens qui partagent mon point de vue sur ce sujet si bien que j'ai été un peu désarçonné par sa réponse catégorique à l'effet que ce n'est pas à l'employeur mais plutôt à chaque employé de faire un travail d'introspection. Qu'il ne faut pas déresponsabiliser les gens. Que l'entreprise n'est pas une garderie et qu'il n'y a pas un gestionnaire qui a le temps de faire cela. Peut-être partagez-vous sa réflexion (mais d'une manière plus nuancée)?

Je ne pense pas que d'accompagner un individu dans une réflexion personnelle de carrière le déresponsabilise. Au contraire. Le problème c'est que bien peu de gens ont le courage de faire cet exercice d'introspection de peur de voir ce qu'ils vont y trouver: ils ne font pas ce qu'ils rêvent de faire et ils sont malheureux au travail. Aucune société et aucune entreprise ne peut se permettre aujourd'hui d'avoir des employés qui ne s'investissent pas à fond dans leur travail et aucun gestionnaire ne devrait se contenter d'attendre que l'employé pose les gestes par lui-même pour se trouver un défi qui l'allume. C'est le rôle du gestionnaire d'accompagner l'employé dans cette réflexion. Pour moi c'est tellement évident que je suis toujours bouleversé lorsque j'entends des gens dire qu'ils n'ont pas le temps d'écouter leurs employés. Il ne s'agit pas de ne pas avoir le temps de le faire parce que vous être trop occupé mais plutôt que vous êtes tellement occupé que vous ne pouvez vous permettre de ne pas le faire.

Un premier moyen pour contrer les insatisfactions et améliorer la situation consiste à préciser, avec l'employé, ses objectifs personnels et ensuite d'en établir les liens avec les objectifs de l'organisation. Pour l'employé, il faut que ce soit clair que l'atteinte de ses objectifs passe par les succès de l'entreprise (relation «gagnant-gagnant»). De façon à amorcer la discussion, on peut amener l'employé à réfléchir à ce qui le rend heureux au quotidien au travail d'une manière générale (avoir de l'autonomie, pouvoir innover, avoir davantage de responsabilités, etc.) plutôt que de vouloir tout de suite identifier une cible précise.

Carnet de route du gestionnaire

www.pacini.ca
www.ccirs.qc.ca

Comment puis-je accompagner nos employés dans leur réflexion personnelle de carrière?

Notre organisation laisse-t-elle une réelle possibilité aux employés d'exprimer leurs propositions de changements?

31| Qu'est-ce qui se passe si rien ne change ?

Le gestionnaire doit amener l'employé à bien identifier tous les impacts de maintenir la situation actuelle afin d'éviter que les bonnes résolutions ne s'évanouissent au premier obstacle survenu (parce qu'il y en aura inévitablement).

Plus les conséquences sont tangibles et significatives, meilleures sont les chances d'arriver à un engagement ferme de l'employé à générer les résultats attendus. Imaginons deux individus ayant un surplus de poids. Le premier sait que maintenir un poids santé est important pour son image et sa qualité de vie sans toutefois se livrer à une évaluation de tous les impacts possibles. Le deuxième, quant à lui, prend le temps de faire systématiquement une liste de toutes les conséquences pour lui de maintenir le statu quo : risques de maladie accrus, espérance de vie réduite, qualité de vie diminuée, estime de soi affectée, performances au travail réduites à cause du manque d'énergie, insatisfaction de son patron face à ses résultats, frustration à ne plus performer comme on le voudrait, stress accru, relations plus tendues avec ses collègues et ses clients, baisse des ventes, dépression... Il est évident que changer ses habitudes de vie nécessite beaucoup de volonté et que le deuxième employé qui a pris le temps de mettre noir sur blanc les conséquences de sa décision a plus de chance d'atteindre de son but.

Il est suggéré que le gestionnaire guide l'employé dans l'identification de l'impact des irritants vécus par l'employé plutôt que de vouloir rapidement sauter aux solutions. L'évaluation de l'impact devrait se faire à cinq niveaux : quelles sont les conséquences pour l'individu lui-même, pour l'équipe et sur ses collègues, pour son superviseur, pour l'entreprise et, ultimement, pour le client ? C'est une belle occasion pour le gestionnaire de réitérer sa confiance envers l'employé en lui faisant réaliser l'importance de l'impact qu'il peut avoir sur le succès de l'organisation. N'hésitez pas à utiliser un discours qui fait appel aux émotions, c'est le plus grand motivateur.

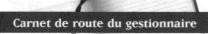

Carnet de route du gestionnaire

Comment puis-je aider chaque employé à identifier tous les impacts de maintenir une situation non désirée ?

• **Pour l'individu lui-même;**

• **Pour l'équipe et ses collègues;**

• **Pour son gestionnaire;**

• **Pour l'entreprise;**

• **Pour le client.**

Notre organisation accepte-t-elle à son tour d'entendre les requêtes des employés pour qu'une situation non désirée soit changée chez les gestionnaires ?

32| Quels sont les obstacles ?

Le gestionnaire ne devrait pas s'attendre à un engagement total et indéfectible de son jeune employé de la génération Y ans dès le départ. Il devra probablement faire face à des objections (verbalisées ou non). Les objections sont inévitables et même souhaitables. Elles représentent un signe d'intérêt de la part de l'employé ou une indication que quelque chose n'est pas bien clair. Il faut alors voir là une opportunité de clarifier un élément mal compris.

Aussi, le gestionnaire devrait s'inquiéter de ne rencontrer aucune objection (ou réserve) de la part de son employé lors de la discussion sur ses irritants, leurs conséquences et les éventuelles solutions. Il faut éviter de tenter de conclure hâtivement en croyant que tout est OK. Il est préférable de questionner ouvertement l'employé sur ce qu'il pense de tout ce processus et de l'engagement qu'il est prêt à prendre (parce que c'est à lui de prendre en charge le développement heureux de sa carrière). Voici 3 techniques inspirantes que je suggère aux gestionnaires pour répondre aux objections :

Reformuler en question

En reformulant l'objection sous forme de question, cela permet de confirmer ou préciser les perceptions. Exemple : « Si je t'ai bien compris, tu penses que tu n'auras pas suffisamment de temps pour mettre en place ton plan d'action à cause de ta charge actuelle de travail, c'est bien ça ? » Cela permet de bien cerner la problématique et de s'attaquer à ce qui bloque vraiment. Une règle d'or que j'ai apprise de mon passé au service à la clientèle : ne jamais assumer que tout est compris.

Préciser les conséquences du problème soulevé

Parfois, préciser les conséquences du problème signifie minimiser, simplifier, dédramatiser. Il arrive que le blocage naisse simplement d'une amplification injustifiée des solutions. Pour certains, les changements peuvent paraître plus compliqués qu'ils ne le sont en réalité.

Exemple : « Ce n'est pas si compliqué que tu le penses, une option pourrait être de commencer à n'y consacrer que 15 minutes par jour. Au bout d'un trimestre, tu auras investi plus de deux jours entiers dans ton projet et tu pourras réévaluer alors si tu peux y allouer quotidiennement davantage de temps. »

De nature plutôt analytique, j'ai naturellement la propension à imaginer beaucoup de conséquences lorsque je prends une décision et parfois, ça m'empêche d'avancer. Peut-être avez-vous des employés qui ont la même tendance que moi à vouloir tout planifier dans le détail ? Dans ce cas, il est important de minimiser les conséquences de l'engagement visé.

On voit souvent des exemples de gens qui ont tout laissé tomber pour se lancer dans une nouvelle aventure professionnelle ou personnelle et qui y ont trouvé beaucoup de bonheur et c'est tant mieux. Cependant, des changements radicaux ne sont pas toujours aussi nécessaires. Il suffit parfois de simples ajustements. Par exemple, ma partenaire de vie est diététiste. Elle a travaillé plus de 5 ans dans le réseau public de la santé (hôpitaux, CLSC, CHSLD) auprès des femmes enceintes et des personnes âgées. Passionnée de cuisine, elle rêvait d'ouvrir une auberge ou une entreprise de traiteur santé. Amoureuse des enfants, elle rêvait aussi d'être éducatrice. Elle a trouvé le moyen de relier ses passions : aujourd'hui, elle a trouvé le bonheur en supportant les familles à découvrir et redécouvrir le plaisir de bien manger en offrant ses livres et son matériel éducatif aux garderies et aux parents. (Vous pouvez visiter son site Internet au **www.duplaisirabienmanger.com**).

Parfois, préciser les conséquences peut vouloir dire les expliquer, les détailler, les relier. Car il se peut qu'un blocage vienne parfois de l'inconscience ou du manque de connaissances du jeune employé qui ne réalise pas l'impact ou la portée du problème et qui n'y remédie pas tout simplement parce que la situation ne lui semble pas aussi importante qu'elle l'est.

Nous exerçons déjà, pour la plupart, une partie de nos talents. Il peut suffire d'un simple réalignement ou d'une nouvelle combinaison pour faire jaillir notre plein potentiel.

Rappeler les avantages

La troisième façon de traiter une objection est de rappeler les avantages de la solution envisagée, c'est-à-dire répondre à la question « qu'est-ce que ça donne ? » L'employé doit être conscient des conséquences de son engagement. Exemple : « Crois-tu qu'il est raisonnable de consacrer 15 minutes par jour à travailler sur un projet qui va te permettre : 1. de rendre ton travail et celui de tes collègues plus agréable 2. de faciliter la gestion quotidienne des statistiques et 3. de contribuer à accroître l'efficacité de l'organisation en plus de 4. rendre l'expérience du client beaucoup plus humaine chez nous ? » Vous pouvez aussi demander à l'employé de nommer lui-même les avantages qu'il voit et compléter selon votre vision de gestionnaire pour l'appuyer et le confirmer dans ses perceptions. Cela vous permet aussi de vérifier les compréhensions mutuelles de la situation.

Attention de ne pas tomber ici dans le panneau d'avoir à convaincre l'employé de quoi que ce soit. Certains sont habiles à éviter de s'engager. Je pense que c'est un réflexe de protection : si le plan échoue, ce ne sera pas de ma faute puisque ce n'est pas mon idée. Si vous êtes en train de faire le gros du travail durant la discussion avec votre employé autour de l'engagement, ce n'est pas normal. C'est à lui de trouver ses solutions. Si cela se produit, je vous conseille de revenir à l'étape précédente d'identification des conséquences (qu'est-ce qui se passe si rien ne change ?) et des solutions (qu'est-ce qui devrait changer ?)

Carnet de route du gestionnaire

Comment puis-je aider nos employés à surmonter leurs objections et à s'engager dans une nouvelle avenue ?

1) Reformuler en question

2) Préciser les conséquences du problème

3) Rappeler les avantages

Le courage ce n'est pas l'absence de peur, mais plutôt le jugement qu'autre chose est plus important que la peur.

— **Ambrose Redmoon**

33| Qu'allez-vous changer ?

L'étape finale du parcours pour bien connaître les désirs de l'employé consiste à discuter avec ce dernier des solutions potentielles à adopter pour éliminer les insatisfactions. Il est possible qu'une des résultantes de ce processus soit le départ de l'employé mais si c'est le cas, ce sera probablement la meilleure option à la fois pour l'individu et pour l'organisation.

Il faut que l'employé se responsabilise et s'engage dans la solution. Certains sont spécialistes à mettre le blâme sur les collègues, le patron, l'entreprise, l'économie, la météo et je ne sais quoi encore. Cependant, rien ne changera vraiment sans que l'employé réalise que sa réalité est créée par ce qu'il fait et non par ce que les autres font. Sans cela, il risque d'attendre longtemps en vain que la solution se corrige par elle-même.

Il y a quelques années, j'ai eu une discussion avec un de mes chargés de projets. Son rôle était alors de coordonner les projets d'impression avec les clients de la préimpression jusqu'à la facturation. Il était très attentif aux besoins des clients et était très apprécié par ceux-ci. Il était tellement orienté client que parfois, il promettait des choses qui, dans la réalité quotidienne, ne se concrétisaient pas toujours : délais de production non respectés, problèmes de qualité, mauvaise adresse de livraison, erreur de facturation, etc. Évidemment cela lui causait de grandes frustrations parce que c'est lui qui devait ensuite justifier auprès des clients le non-respect des engagements qu'il avait pris au nom de notre organisation. Il était d'autant plus en colère parce que sa perception était que tous ces malencontreux événements ne dépendaient pas de lui. Cependant, la réalité était un peu différente. Peu porté sur les détails, les instructions qu'il communiquait aux autres départements étaient souvent incomplètes ou erronées causant parfois des délais inutiles ou des erreurs coûteuses.

Confronté à ces faits, je lui ai demandé de se concentrer sur ce qui était sous son contrôle et de regarder sa contribution au problème afin de

LE PARCOURS • Connaître ses employés

123

découvrir une solution créative. À la fin de notre discussion, il a convenu, sans trop de conviction, qu'il devrait porter une plus grande attention aux détails. Au fond, lui et moi savions que ce n'était pas là sa force. Son talent était d'entretenir de bonnes relations avec la clientèle et dès qu'une opportunité s'est présentée, nous lui avons permis d'assumer un rôle de support aux ventes. Après quelques mois, il a quitté l'entreprise pour se joindre à une agence publicitaire à titre de chargé de compte. À son départ, je me suis réjoui pour lui parce qu'il avait arrêté d'agir en victime en s'engageant par lui-même dans une nouvelle avenue qui le mènerait là où il voulait et pouvait vraiment aller.

Pour développer un plan qui connecte avec les besoins de l'employé, il s'agit d'abord et avant tout de faire preuve d'écoute. Pas seulement entendre mais vraiment écouter. De placer les intérêts de l'autre avant les siens. À l'hiver 2006, j'ai été invité par un gestionnaire qui avait assisté à une de mes présentations à rencontrer son patron. Il croyait que la directrice générale serait réceptive à mon message puisque, d'après lui, elle pourrait bénéficier de mes conseils. La rencontre à trois débute sur une bonne note et, fidèle à mon habitude, je pose plusieurs questions sur la situation de l'entreprise, ses défis, ses concurrents et sur ce que la directrice voudrait améliorer. Au bout de quelques minutes, je ressens un malaise. La directrice qui a gardé les bras croisés depuis le début me demande brusquement où je veux en venir avec toutes mes questions. Un peu surpris, je lui réponds que je cherche seulement à bien comprendre sa situation pour voir si je peux vraiment lui venir en aide. Je ne pensais pas que ma réponse aurait un tel impact.

Elle demande à son gestionnaire de quitter puis elle commence à répondre à toutes mes questions (et même celles que je ne posais pas…) Elle me raconte qu'elle a fondé l'entreprise d'une centaine d'employés avec son mari il y a une douzaine d'années. Qu'aujourd'hui, son associé en amour et en affaires, maintenant devenu son «ex», a lancé une autre entreprise dans des locaux adjacents en donnant la sienne en garantie. En larmes, elle ajoute que sa situation est devenue invivable, qu'elle n'a plus le goût d'être là, de faire ça et qu'elle est complètement vidée. Ouf! Pendant que je l'écoute me raconter tout ça avec attention, je ne peux m'empêcher de me demander jusqu'à quel point je peux apporter des conseils aussi personnels sur des enjeux aussi importants alors que je connais la personne depuis à peine quelques minutes. Je me risque quand même à lui suggérer de tout quitter et d'essayer de vendre l'entreprise à son ancien associé. Je pense que mon coach en ventes aurait dit que je venais de brûler une belle opportunité mais bon… Je n'ai effectivement pas accompagné cette entreprise mais j'ai été cohérent avec moi-même, mon objectif premier étant d'aider la personne et son entreprise et je pense avoir fait les deux comme en témoigne le courriel que cette personne m'a acheminé quelques semaines plus tard:

« Bonjour Stéphane,

Je prends le temps ce matin, de te dire combien j'ai apprécié ton intervention avec moi. Je ne sais pas si tu as idée de la libération que je vis en ce moment. J'ai cessé de travailler le 31 mars comme prévu. J'ai signé la vente de mes actions hier après-midi. J'ai eu la chance de pouvoir annoncer la nouvelle à nos employés de bureau 3 semaines avant mon départ, ce qui nous a permis d'apprivoiser cette séparation et de se dire ce qu'on avait à se dire avant mon départ. Je me suis organisé un souper de départ avec les gens du bureau et ma famille. Nous avons beaucoup ri et pleuré. Nous étions là pour ça. Je pars pour 3 semaines, le matin de Pâques à 7h45 pour la maison Hyppocrate, une maison de santé à West Palm Beach, où je rêvais d'aller depuis 4 ou 5 ans.

Je te remercie pour l'écoute attentive que tu as eue à mon égard et les sages réflexions que tu as osé me faire.

Tu as grandement contribué à ma libération. »

Bien sûr, il faut aussi savoir prendre ses distances dans le sens que vous ne pourrez pas aider tout le monde et qu'il y a des situations qui vont nécessiter l'intervention de spécialistes. Je pense ici à des cas de tendances suicidaires, de problèmes de toxicomanie, de violence conjugale, d'endettement, d'épuisement professionnel, etc. Lorsque ses situations se présentaient à moi, je réitérais à l'employé ma confiance en sa capacité de trouver la solution à ce qui devait changer en l'orientant du mieux que je pouvais vers des spécialistes à l'externe. Vous pouvez créer des accommodements temporaires pour permettre à l'employé d'aller chercher l'aide extérieure dont il a besoin (horaire flexible, congé, etc.) mais vous n'êtes pas un thérapeute. Plusieurs entreprises offrent des programmes d'aide aux employés incluant des consultations gratuites auprès de services extérieurs et confidentiels.

www.instituthippocrate.com

Carnet de route du gestionnaire

Comment pouvons-nous développer un plan qui s'ajuste vraiment avec les besoins de chaque employé ?

Quels moyens nous donnons-nous pour regarder en face les insatisfactions ?

Avons-nous l'habitude de nous concentrer sur la recherche de solutions au lieu de nous pencher stérilement sur les problèmes ?

Quels moyens nous donnons-nous pour faire des rajustements et clarifications avec nos employés afin de favoriser les changements ?

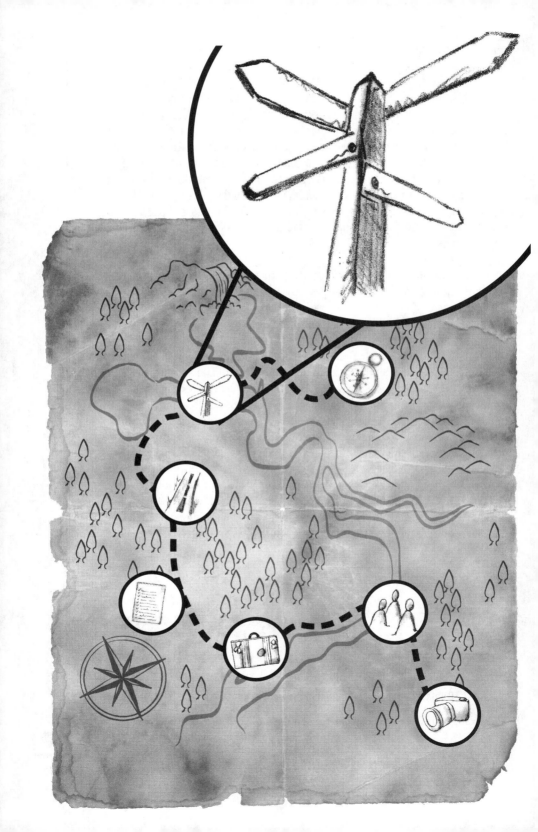

VI S'engager dans une direction

Le plan d'action de l'employé

Rappelez-vous notre point de départ : le contexte économique actuel d'où nous avons retenu quatre points importants : la concurrence mondiale féroce, la position précaire du Québec, la pénurie de main-d'œuvre qualifiée et l'absentéisme en progression.

Ensuite, nous avons dressé le portrait de nos compagnons de voyage, soit le profil de la génération Y, où nous avons abordé six thèmes importants : le choc des valeurs, le temps c'est plus que de l'argent, une structure organisationnelle évolutive, l'esprit de famille, bye bye boss, bonjour mentor et l'agent libre.

Puis nous nous sommes inspirés des meilleures pratiques des entreprises récipiendaires de prix d'excellence en gestion des ressources humaines pour identifier les bagages nécessaires pour atteindre notre destination. Nous y avons abordé trois thèmes : se faire voir, la rémunération globale et le plan personnel de croissance.

Quatrièmement, nous avons effectué nos préparatifs d'avant voyage : déterminer le profil des talents recherchés. Pour se faire, nous nous sommes attardés à cinq thèmes : cerner les valeurs du groupe, se rallier à une mission commune, partager la même vision d'avenir, déterminer les talents nécessaires et éviter les erreurs coûteuses.

Finalement, nous avons pris le temps de nous interroger sur : « Quel voyage l'employé veut-il faire ? » Afin de bien analyser le parcours qu'il veut emprunter, nous devons connaître les désirs de l'employé. Dans ce but, nous avons pris soin d'établir une relation de confiance, pour parcourir ensuite un questionnement qui nous a permis de nous mettre à son écoute.

Nous sommes maintenant prêts à s'engager dans une direction avec le plan d'action de l'employé. Ici, deux aspects retiendront notre attention : les 4 roues de l'engagement et comment sceller l'engagement. Un plan d'action qui n'est pas supporté par ces quatre roues relève davantage d'un souhait et ne peut se sceller dans un engagement sérieux.

« IL S'AGIT D'UN PROJET DE LA PLUS HAUTE IMPORTANCE MAIS NOUS N'AVONS NI BUDGET, NI LIGNE DIRECTRICE, NI RESSOURCES ET L'ÉCHÉANCE EST DANS 15 MINUTES. VOILÀ ENFIN UNE OCCASION POUR VOUS D'IMPRESSIONER TOUT LE MONDE! »

Avoir la foi, c'est monter la première marche sans savoir où l'escalier va nous mener.

- Martin Luther King Jr

34| Les 4 roues de l'engagement

Rappelons-nous ici l'importance du climat de confiance et du dialogue. Ils constituent les ingrédients de base de l'élaboration du plan d'action. Il est évident que si l'on désire changer la situation actuelle, il faudra effectuer des changements qui vont nécessiter à la fois l'implication de l'employé, du gestionnaire et de l'organisation. Il n'y a rien de magique.

Puisque le succès de l'employé passe par celui de l'organisation où il travaille (et vice versa), il est essentiel de lier son plan de carrière personnel à la mission de l'équipe dans laquelle cette carrière évolue. S'il n'y a pas de lien possible, il est probable que l'employé ne soit pas à la bonne place au sein de cette équipe. Il s'agit pour l'employé d'être authentique et cohérent. Le plan d'action démontre clairement comment le projet de l'employé va affecter positivement les objectifs de l'équipe et les tâches et responsabilités des autres membres.

Afin d'établir si on s'en va dans la bonne direction, il faut prévoir comment la réussite sera mesurée de façon à évaluer la progression. Ces moyens, idéalement, sont définis conjointement par l'employeur et l'employé. Les indices de mesure doivent être des faits vérifiables ou quantifiables, c'est la première **roue de l'engagement (l'alignement).**

Pour le gestionnaire, le défi est de s'assurer que chacun de ses employés arrive à se forger sa propre mission personnelle complémentaire à celle de l'organisation. En suivant les étapes du processus : établir la relation, connaître les désirs de l'employé, on arrive à conclure un engagement profond avec ce dernier qui redonne un sens véritable au travail parce que la mission de l'entreprise devient soudainement clairement en lien avec la mission de vie de l'employé. Et comme le mentionne Ross Reck dans son livre *The X-Factor*, ce qui motive le plus les gens c'est leur intérêt personnel.

Afin d'éviter d'éventuels malentendus, il ne faut pas assumer que tous partagent le même niveau d'engagement. Chacun doit respecter ses intérêts, ses aptitudes et ses disponibilités. C'est pourquoi le partage des rôles principaux et secondaires doit être fait en accord avec le temps, l'énergie, les connaissances et les talents que chacun va apporter. Il faudra s'assurer ici que les niveaux définis satisfassent à la fois l'employé et l'employeur.

Il est souhaitable que chaque membre de l'équipe ajoute à son plan d'action personnel les éléments suivants :

- 3-5 choses à apprendre d'ici 3 mois
- Support attendu des collègues
- 3-5 choses à montrer aux autres d'ici 3 mois

Une façon originale de réitérer l'engagement de chaque employé envers la mission de l'entreprise consiste à permettre aux employés d'avoir leur mission personnelle écrite au dos de leur carte d'affaires ou d'une carte plastifiée de même format. Visible, ce leitmotiv soutiendra sa motivation. Il est reconnu que les bonnes résolutions se perdent souvent par simple oubli des objectifs et des motifs.

La deuxième roue de l'engagement est le conducteur (la capacité). Une fois que l'employé sait ce qu'il doit faire, il doit savoir ensuite comment le faire. Le plan d'action devrait aborder cette question et le gestionnaire devrait encourager l'employé à identifier les connaissances requises à l'exécution du plan, selon un échéancier réaliste.

La troisième roue de l'engagement est le carburant (les ressources). Il s'agit des moyens physiques, du temps, des ressources humaines et des informations requises pour mener à bien le projet. D'après une étude de l'Université Stanford présentée par Zig Ziglar dans son livre *Top Performance*, 95 % des gens qui s'engagent dans un projet ne le rendent pas à terme à cause d'un manque de ressources.

La quatrième et dernière roue de l'engagement est le moteur (la motivation). Cette dernière peut être intrinsèque ou extrinsèque (et idéalement, les deux à la fois).

L'employé va trouver la motivation à s'engager dans son projet si son rôle et la mission poursuivie par l'organisation sont alignés avec sa personnalité profonde. Nous avons tous des conversations internes. Il va sans dire que certaines sont parfois limitatives, mais certaines sont très mobilisatrices. On a le choix. Qu'est-ce que votre jeune employé se dit au réveil d'une journée de travail? Et vous-même? L'idéal est que les deux se disent la même chose.

Une rémunération ou autre reconnaissance en lien direct avec le rendement du projet est un facteur de motivation à ne pas négliger.

The X-Factor par Ross R. RecK
ISBN 0-471-44389-1
www.stanford.edu
Top Performance par Zig Ziglar
ISBN 0-8007-1828-3

Carnet de route du gestionnaire

Comment la réussite de notre projet ou mission sera-t-elle évaluée?

Est-ce que chaque employé a défini sa mission personnelle?

Quelles sont les ressources requises pour mener à bien notre projet?

• Moyens physiques;

• Temps;

• Ressources humaines;

• Informations.

S'ENGAGER DANS UNE DIRECTION • Le plan d'action de l'employé

Les gens ne s'intéressent pas à ce que vous savez tant qu'ils ne savent pas que vous vous intéressez à eux.

- Inconnu

35| Sceller l'engagement

C'est seulement une fois que le gestionnaire aura répondu à toutes les objections de son employé qu'il sera possible de conclure un engagement. Encore une fois, on peut s'inspirer des pratiques des meilleurs vendeurs. On peut prévoir trois temps :

Résumer les bénéfices.

En imaginant ici la mise en action des engagements et leurs résultats, résumer les bénéfices qu'en retireront à la fois l'employé et l'entreprise. L'employé devient conscient des avantages à s'investir dans son engagement, à la fois pour lui-même et pour l'entreprise. Il peut aussi mesurer ici son importance dans l'ensemble de son organisation. N'hésitez pas à vous inspirer de la discussion que vous avez eue précédemment avec l'employé lors de l'analyse de ses besoins sur les conséquences (qu'est-ce qui se passe si rien ne change ?)

Sceller l'engagement.

Mettre par écrit les actions précises avec échéanciers. Ces précisions pourront par la suite faire partie des moyens pour mesurer les atteintes des objectifs. Ici, je propose que l'employé vous soumette par écrit son engagement sous forme de plan d'action avec un échéancier.

Exprimer son appréciation

Exprimer son appréciation à l'employé pour son engagement à prendre en charge son épanouissement au travail. On a ici une occasion parfaite pour le gestionnaire, de renouveler sa confiance en l'employé, de la manifester, et de transmettre son enthousiasme envers la réussite de cet engagement. L'encouragement, la valorisation et l'édification sont les engrais de la mobilisation pour que croissent ensemble le bonheur, le bien-être et l'épanouissement de l'employé et de l'entreprise. Retenez ceci : il ne suffit pas de le penser ou d'y croire, il faut aussi l'exprimer.

Carnet de route du gestionnaire

Avons-nous pris le temps de sceller formellement l'engagement de chaque employé ?
Comment choisissons-nous de

- Résumer les bénéfices ;
- Mettre par écrit les engagements et les échéanciers ;
- Exprimer notre appréciation à l'employé.

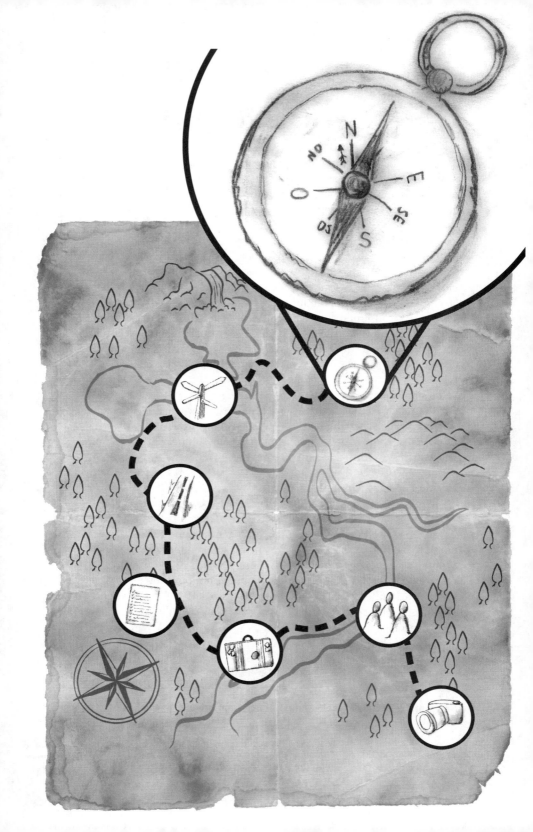

VII Maintenir le cap

Le support

Rappelez-vous notre point de départ : le contexte économique actuel d'où nous avons retenu quatre points importants : la concurrence mondiale féroce, la position précaire du Québec, la pénurie de main-d'œuvre qualifiée et l'absentéisme en progression.

Ensuite, nous avons dressé le portrait de nos compagnons de voyage, soit le profil de la génération Y, où nous avons abordé six thèmes importants : le choc des valeurs, le temps c'est plus que de l'argent, une structure organisationnelle évolutive, l'esprit de famille, bye bye boss, bonjour mentor et l'agent libre.

Puis nous nous sommes inspirés des meilleures pratiques des entreprises récipiendaires de prix d'excellence en gestion des ressources humaines pour identifier les bagages nécessaires pour atteindre notre destination. Nous y avons abordé trois thèmes : se faire voir, la rémunération globale et le plan personnel de croissance.

Quatrièmement, nous avons effectué nos préparatifs d'avant voyage : déterminer le profil des talents recherchés. Pour se faire, nous nous sommes attardés à cinq thèmes : cerner les valeurs du groupe, se rallier à une mission commune, partager la même vision d'avenir, déterminer les talents nécessaires et éviter les erreurs coûteuses.

Cinquièmement, nous avons pris le temps de connaître les désirs de l'employé. Dans ce but, nous avons pris soin d'établir une relation de confiance, pour parcourir ensuite un questionnement qui nous a permis de nous mettre à son écoute.

Finalement, nous venons tout juste d'aborder l'importance de bien définir le plan d'action de l'employé, avant de s'engager dans une direction, à l'aide de deux thèmes: les 4 roues de l'engagement et comment sceller l'engagement.

Voyons maintenant quelles seront nos aides à la navigation pour maintenir le cap, le support, autour de 11 thèmes : l'assistance routière (l'accessibilité), les mises au point (le partenariat), en cas de sousperformance, la progression latérale, la garantie prolongée (l'entretien), la puissance du coaching, les 10 comportements d'un super équipier, les 3 étapes de préparation pour une réunion efficace, l'évaluation et le suivi, nos alliés à l'interne et la démonstration de sa reconnaissance.

Avec la concurrence accrue et les clients de plus en plus exigeants, les entreprises qui ont du succès se démarquent des autres au niveau de la qualité du support qu'ils offrent pendant et après avoir livré le produit ou le service. Plusieurs affirment même que la conclusion d'un engagement avec un client n'est pas la fin mais plutôt le début d'une relation de partenariat à long terme. Pourquoi en serait-il autrement pour la relation entre le gestionnaire et son employé ? Une étude présentée dans le livre de Michel Tremblay *La mobilisation des personnes au travail* affirme que : « Lorsqu'on a demandé à 625 employés quelles étaient les principales contraintes les empêchant de performer à leur pleine mesure dans leur travail, ils ont déclaré le piètre encadrement offert par leur superviseur comme étant la principale contrainte parmi les 22 catégories qu'ils avaient définies auparavant. »

Après avoir d'abord établi une relation avec son employé, identifié ensuite ses besoins et finalement conclu un engagement avec lui, le gestionnaire doit ensuite s'assurer de fournir le support requis à l'employé pour qu'il respecte son engagement. Le gestionnaire doit développer une relation de partenariat avec son employé de manière à fidéliser ce dernier vis-à-vis l'organisation et son engagement à réaliser sa mission personnelle.

Dans ce but, le gestionnaire doit rester accessible et établir des contacts fréquents avec l'employé, de manière à assurer une bonne communication. L'employé a élaboré un plan d'action et conclu des engagements, mais le gestionnaire a aussi des responsabilités. Il doit respecter les termes du contrat et « livrer la marchandise » tel que convenu, c'est-à-dire respecter lui aussi ses engagements. Finalement, le gestionnaire doit maintenir une communication ouverte et offrir un feedback continu à son employé. Je vous expose maintenant des moyens d'assurer le soutien nécessaire à la réussite des engagements.

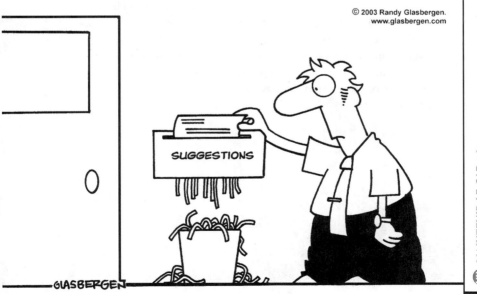

36| L'assistance routière : l'accessibilité

Le premier aspect à considérer dans le support est l'assistance routière (l'accessibilité). Tout comme un client ne veut pas se sentir abandonné après avoir acheté un produit ou un service, l'employé doit sentir que son gestionnaire est disponible. Cela ne veut pas nécessairement dire être accessible en tout temps. Il est aussi important pour le gestionnaire de se réserver du temps de qualité pour travailler lui aussi sur ses projets. Il s'agit de convenir de règles de fonctionnement et de laisser savoir aux employés quelles sont les « heures de service » du gestionnaire pour le support de ses employés. La meilleure façon pour un gestionnaire de gagner la confiance de ses employés est de les supporter par des actions concrètes. Deux mots clés à retenir : relation personnalisée et visibilité.

Maintenir une relation personnalisée. Cela semble évident et élémentaire, mais ce ne l'est pas : que le gestionnaire se souvienne des noms et prénoms de ses employés, de certains éléments de son engagement ou de ses valeurs, de sa vie personnelle ou familiale, de ses passions ou loisirs, et s'en informe à l'occasion. C'est là que vous retirerez les bénéfices du temps investi à mieux connaître vos employés. L'impact de ces habitudes du gestionnaire à prendre des nouvelles informelles à l'occasion est inouï. La pause ou le dîner sont des occasions parfaites pour ce genre de contact. Un gestionnaire que je connais a développé un truc lorsqu'il oublie un nom, il dit : « Rappelle-moi ton nom ! » - « Nathalie Regimbal ! » - « Ah ! C'est le Regimbal que j'avais oublié » ; cela sous-entend qu'il s'est rappelé du « Nathalie » même si ce n'est pas le cas (il doit s'en rappeler la fois suivante cependant).

Visibilité. Comme gestionnaire, vous vous devez d'être plus qu'une photo dans le hall d'entrée de l'entreprise ou qu'un nom sur le chèque de paye. L'anonymat est un ennemi.

Créez des occasions de croiser vos employés, de **demeurer en contact**. (Sauf à la porte d'entrée aux heures d'arrivée et de sortie du travail, vous auriez l'air de surveiller sans faire confiance.) Pensez aux pauses occasionnelles, au dîner, aux anniversaires, aux fins de projets, etc. Je me souviens d'un directeur général qui prenait le temps, à chaque matin, de faire une tournée complète d'usine. Il s'arrêtait pour discuter et écouter les gens si bien qu'il arrivait souvent qu'il informait un de ses subordonnés d'une situation que ce dernier ne connaissait même pas. Cette proximité faisait que parfois, des employés allaient directement le voir dans son bureau pour soumettre une idée.

Prenez des actions constructives face aux irritants soulevés par les employés et assurez-vous qu'elles sont remarquées et effectives. En vérifier l'efficacité auprès des gens concernés. J'ai vu des gestionnaires donner des consignes, par exemple à une adjointe ou un subalterne, qui ont omis de les transmettre à qui de droit. Ça peut sembler aussi banal que des fournitures livrées dans le mauvais département : le patron a tenu son engagement, celui qui a reçu le matériel ne sait pas pourquoi il le reçoit et ne pose pas de question, et celui qui en avait besoin et ne l'a jamais reçu, croit que son supérieur n'a pas tenu parole. D'où des malentendus évitables. Vérifiez !

Faites peu de promesses mais respectez-les. Donnez l'exemple! Quel qu'il soit, il sera imité. Si vous ne respectez pas vos engagements, pourquoi l'employé le ferait-il à moins d'être un modèle d'intégrité? Le jeu du «gagnant-gagnant» est assorti du «donnant-donnant».

Passer du temps avec les employés les plus talentueux. Observez-les et apprenez d'eux. Ils sont vos meilleurs guides. Et surtout, sachez leur témoigner votre appréciation.

Assumez vos responsabilités. Là encore, rappelez-vous que tous ont les yeux tournés vers vous et vous imiteront dans un sens comme dans l'autre. C'est vous qui créez l'effet d'entraînement.

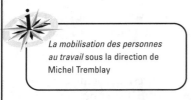

La mobilisation des personnes au travail sous la direction de Michel Tremblay

Carnet de route du gestionnaire

Quels moyens puis-je utiliser pour personnaliser davantage ma relation avec chaque employé?

Quelles occasions puis-je créer pour augmenter ma visibilité auprès de nos employés?

Quels sont nos employés les plus talentueux et que peuvent-ils m'apprendre?

37| Les mises au point : le partenariat

Regardons le deuxième élément important relatif au support du gestionnaire à l'employé : les mises au point (la relation de partenariat). Le gestionnaire sait qu'il doit maintenir le jeune employé de la génération Y en harmonie avec lui-même et avec la mission de l'organisation pour susciter la fidélité et l'engagement. Un moyen efficace de supporter l'employé dans son développement professionnel est de tenir une rencontre formelle de suivi trimestriel. Cela remplace la fameuse évaluation de rendement annuelle dont ni l'employé, ni le gestionnaire n'en reconnaissent les bienfaits. H.J. Bernardin, un des experts les plus reconnus dans ce domaine et cité dans le livre de Michel Tremblay *La mobilisation des personnes au travail*, mentionne : « Alors que 95 % des entreprises affirment faire usage de modes formels d'évaluation de la performance, la majorité d'entre elles s'en déclarent insatisfaites. » Une autre étude effectuée par Psychological Associates présentée dans le même livre a révélé que 70 % des employés se disent aussi peu éclairés après l'entrevue d'évaluation qu'avant.

D'une durée d'environ une heure chacune (4 heures par année), les rencontres trimestrielles de suivi obligent l'employé et le gestionnaire à demeurer vigilants en plus de favoriser des échanges fréquents entre les deux. Un bon partenariat signifie à la fois agir rapidement en cas de sousperformance et supporter l'employé tout au long de sa progression. Je compare les rencontres trimestrielles de suivi aux séances d'entraînement au gym. Ça prend beaucoup de discipline pour le faire sur une base régulière mais on se sent tellement bien après qu'on se demande pourquoi on ne le fait pas plus souvent.

N'essaie pas d'apprendre à chanter à un cochon. Tu perds ton temps et ça rend le cochon fou.

— Mark Twain

Je suggère de débuter la rencontre par une brève revue de la performance des trois derniers mois. Cependant, l'essentiel de la rencontre devrait se concentrer sur l'avenir et non pas sur les performances passées. De façon à aider l'employé à s'y préparer, le gestionnaire devrait lui soumettre les trois questions suivantes et l'inviter à mettre ses réponses par écrit.

Rencontre trimestrielle de suivi
Étape 1 : Revue de la performance (10 minutes)

Actions entreprises par l'employé

Quels sont les changements effectués?

De quel ordre sont ces changements : attitude, structure, horaire, etc.?

Ces changements donnent-ils satisfaction?

Y a-t-il d'autres ajustements à faire pour que l'employé sente qu'il s'accomplit?

Actions entreprises par le gestionnaire

Y avait-il des irritants à régler ou des promesses à tenir?

Est-ce que cela a été efficace?

Y a-t-il d'autres moyens de support à envisager?

Découvertes faites par l'employé

Est-il satisfait de ses résultats?

A-t-il appris rapidement?

Qu'est-ce qui lui apporte de l'énergie et du plaisir?

Alliances établies par l'employé à l'interne et à l'externe

Quel est le réseau de l'employé et comment l'utilise-t-il?

Après une dizaine de minutes, le gestionnaire devrait orienter la discussion vers le futur. En mettant l'emphase sur l'avenir plutôt que sur le passé, on est dans un mode proactif. L'employé consacre moins d'énergie à défendre son bilan et il concentre sa réflexion sur la façon dont il va relever les prochains défis. Cela permet au gestionnaire d'améliorer encore plus sa connaissance de l'employé. Se rappeler qu'il est plus efficace de se centrer sur les solutions aux problèmes que sur ceux-ci. Encouragez l'employé à mettre ses réponses par écrit et à conserver sa feuille après la rencontre.

Rencontre trimestrielle de suivi
Étape 2 : Focus sur le futur (45 minutes)

Quoi

Sur quoi l'employé mettra-t-il le focus ?

Quelles découvertes prévoit-il faire ?

Quelles nouvelles alliances espère-t-il bâtir ?

Qu'est-ce que lui seul peut accomplir mieux que personne ?

Qu'est-ce que l'employé aime faire ?

Comment

Comment va-t-il se structurer pour faire plus de ce qu'il aime faire (objectifs) ?

Quel est le chemin le plus rapide pour y arriver ?

Comment puis-je l'aider à titre de gestionnaire ?

Mesure des résultats

À quelle fréquence l'employé aimerait-il me rencontrer pour évaluer sa progression ?

Quels sont les indicateurs de succès (personnels et organisationnels) ?

Carnet de route du gestionnaire

Réserver à l'agenda du temps pour
4 rencontres trimestrielles
de suivi d'une heure avec chacun
de nos employés.

La mobilisation des personnes au travail sous la direction de Michel Tremblay
www.psychologicalassociates.com

38| En cas de sousperformance

Je pars toujours de l'hypothèse que personne ne veut délibérément échouer. S'il y a un problème de sousperformance, je le vois d'abord comme un événement circonstanciel où l'employé se trouve au mauvais endroit au mauvais moment. Bill Hewlett, un des fondateurs de Hewlett-Packard, a dit : « Notre politique s'inspire de notre croyance que chaque individu veut faire du bon travail et que si l'organisation lui fournit le bon environnement, il le fera. » Cela étant dit, le gestionnaire ne doit pas hésiter à agir rapidement lorsqu'il y a sousperformance parce que l'employé concerné (et possiblement plusieurs de ses collègues) sait qu'il éprouve des difficultés bien avant que le gestionnaire ne s'en soit rendu compte. Dans son livre *Good to Great*, Jim Collins mentionne : « Pour chaque minute où un gestionnaire tolère un employé sousperformant, il lui vole une portion de sa vie alors qu'il pourrait s'épanouir autrement. »

Dans ce cas, l'attitude idéale du gestionnaire est en dehors de tout jugement négatif sur l'employé. Il s'agit plutôt de déterminer les facteurs possibles d'amélioration. Voyons comment faire face à la sousperformance.

Dans son excellent livre, *Top Performance*, Zig Ziglar nous rappelle les 7 règles d'une rétroaction visant à améliorer un comportement :

1) **Donnée en privé** de façon à ne pas humilier l'employé devant ses collègues.
2) **Vise un comportement spécifique**, observable et sous le contrôle de l'employé. La rétroaction doit se rapporter à des faits précis et ne pas être basée sur des impressions ou des rumeurs.
3) **Immédiate** (ou le plus rapidement possible).

Si un homme ne suit pas le rythme de ses compagnons, c'est qu'il entend peut-être le son d'un autre tambour.

— Henry David Thoreau

4) **Interrogative et sans jugement** (centrée sur le comportement et non sur l'individu). Le but étant de connaître la perspective de l'employé. (On citera par exemple ses retards factuels plutôt que de juger de son incapacité à…) Rappelez-vous : on observe les faits sans porter de jugement de valeur sur la personne. Ainsi, à une employée accusée de mauvaises relations d'équipe parce qu'elle ne salue pas ses collègues dans la cafétéria, on pourra demander s'il y a une raison à son comportement, au lieu de la traiter de snob, d'antisociale… Elle pourra expliquer son besoin d'enlever ses lentilles au milieu de la journée et ne pas bien voir alors les gens. On aura évité de la juger. On explorera ensuite sa perception des relations d'équipe.

5) **Suivie d'un plan d'action** élaboré conjointement.

6) **Une date de suivi a été fixée.**

7) **Appuyée d'encouragements.** La personne doit bien se sentir tout de suite après notre entretien et non se sentir incompétente ou frustrée.

Sans vouloir menacer l'employé de quelque façon que ce soit, il est important pour le gestionnaire de jouer franc jeu et de faire connaître à l'employé les conséquences de l'absence des résultats souhaités.

Good to Great de Jim Collins
ISBN 0-06-662099-6
Top Performance de Zig Ziglar
ISBN 0-8007-1828-3

Carnet de route du gestionnaire

Comment puis-je utiliser les sept règles pour améliorer mes rétroactions ?

- En privé ;
- Spécifique ;
- Immédiate ;
- Interrogative ;
- Plan d'action ;
- Date de suivi ;
- Encouragements.

39| La progression latérale

Avec l'aplanissement des organisations et la complexification de la tâche des gestionnaires, les entreprises doivent trouver des façons d'encourager leurs employés à maintenir leur focus sur le développement de leur expertise. La seule façon d'exceller est de s'assurer que chaque joueur est à sa place : personne n'a besoin d'un superviseur qui n'a ni le talent ni l'intérêt pour être un gestionnaire. De toute façon, plusieurs jeunes, qui ont vu leurs parents s'essouffler dans la course aux promotions, ne sont même plus intéressés à gravir les échelons. Le défi pour les organisations consiste alors à revoir ses pratiques où la progression, encore trop souvent, est synonyme de verticale dans la tête des gens.

Définir des niveaux d'accomplissement pour chaque poste. Il s'agit de fractionner en niveaux la progression. En ski par exemple, un élève va progresser, peu importe son âge, de débutant à novice, à intermédiaire, à avancé puis à expert. Sa progression va se limiter au rôle de skieur. Sa progression ne se poursuivra pas nécessairement dans le rôle de moniteur, de directeur d'école de ski puis de directeur général d'une station de ski. Peut-être notre skieur voudra-t-il s'initier à la planche à neige ou au télémark ? J'ai déjà vu un bel exemple de plan de progression dans un environnement syndiqué en imprimerie. Toutes les compétences requises pour devenir chef pressier avaient été définies (techniques et comportementales) et formulées en terme d'indicateurs qualitatifs ou quantitatifs. Par exemple : l'employé sait calculer le taux d'efficacité de son équipe à l'aide du logiciel xyz. Ensuite, cet inventaire de compétences avait été séparé en 4 niveaux de progression de apprenti jusqu'à chef pressier puis une évaluation était effectuée au rythme de l'employé lorsque ce dernier se disait prêt. Lorsque toutes les compétences requises pour un niveau étaient maîtrisées par l'employé, ce dernier accédait au statut suivant. On peut s'inspirer de cet exemple et l'appliquer dans un autre contexte. (Je vous suggère de revenir à l'étape de l'identification des besoins dans la section IV Les préparatifs: Profil des talents recherchés, chapitre 20 Déterminer les talents nécessaires). Inspirez-vous de votre observation des employés performants et décomposez en niveaux de progression les comportements que vous voulez voir adopter par les meilleurs. Une progression rapide permet de maintenir l'enthousiasme chez l'employé et force à la fois ce dernier et son gestionnaire à suivre de près sa progression.

Avoir des échelles salariales qui se chevauchent. De façon à minimiser un impact négatif de l'appât du gain dans les décisions de carrière d'un employé, permettez à un employé expérimenté et performant de gagner plus qu'un superviseur. L'idée est d'éviter qu'un employé se dirige vers un rôle pour lequel il n'a pas de talent pour une question d'argent. Ce genre de décision sur les politiques salariales est peut-être au-delà de votre sphère d'influence dans l'entreprise mais je pense que vous devriez au moins susciter la discussion au sein de votre organisation. En attendant que tous vos collègues gestionnaires aient lu ce livre et réalisent votre clairvoyance, vous pouvez utiliser d'autres moyens de récompenser la progression d'un niveau à l'autre de vos employés dans leur rôle actuel. (Référez-vous à la section III Les bagages: S'inspirer de la concurrence, chapitres 12 à 15 La rémunération globale).

Faites un héros, de chaque employé qui remplit son rôle avec excellence et qui progresse. J'ai côtoyé des représentants qui étaient mieux rémunérés que leur directeur des ventes ou mieux qu'un directeur général.

Offrez des possibilités de période d'essai. Une période d'essai est un excellent moyen pour le gestionnaire et l'employé d'évaluer son intérêt et ses aptitudes pour un rôle. Cependant, il faut éviter de s'en servir comme substitut à une sélection rigoureuse. Afin d'éviter des frustrations et un gaspillage d'énergie de part et d'autre, une période d'essai ne devrait être offerte seulement à un employé qui a déjà démontré un certain talent et un véritable intérêt pour le rôle. L'objectif étant d'établir la relation entre les talents de l'employé et les objectifs organisationnels: évitez de vouloir transformer les individus. Concentrez plutôt vos efforts à faire jaillir ce qu'il y a de mieux chez les gens plutôt que de vouloir faire apparaître quelque chose qui n'y est pas déjà. Il est aussi important d'établir clairement les modalités: retour à la situation initiale si l'employé ou le gestionnaire n'est pas satisfait.

Une autre variante est suggérée par Marcus Buckingham et Curt Coffman dans leur excellent livre *First, break all the rules* qui présente les résultats d'une enquête approfondie effectuée auprès de 80 000 gestionnaires oeuvrant dans plus de 400 entreprises américaines. Peu de temps après l'embauche puis annuellement par la suite, les auteurs suggèrent de passer environ une heure à questionner l'employé sur :

1) Qu'est-ce que tu préférais à ton ancien travail ? Qu'est-ce qui t'a amené (ou te fait rester) chez nous ?
2) Quelles sont tes forces (talents, habiletés, connaissances) ?
3) Quelles sont tes faiblesses ?
4) Quels sont tes objectifs par rapport à ton poste actuel (échéancier) ?
5) À quelle fréquence aimerais-tu qu'on se rencontre pour évaluer ta progression ? Es-tu le genre de personne qui va me dire spontanément ce qui ne va pas ou devrai-je te le demander ?
6) As-tu des objectifs personnels que tu aimerais partager avec moi ?
7) Quelle est la plus belle marque de reconnaissance que tu as reçue ? Qu'est-ce qui l'a rendue si spéciale ?
8) As-tu déjà eu des collègues ou des mentors qui ont eu un grand impact sur ta carrière ? Pourquoi ces relations ont-elles été spécialement si bénéfiques ?
9) Quels sont tes objectifs de carrière ? Quelles habiletés particulières aimerais-tu acquérir ? Y a-t-il des défis particuliers que tu aimerais relever ?
10) Y a-t-il autre chose que tu aimerais discuter et qui nous aiderait à mieux travailler ensemble ?

Carnet de route du gestionnaire

Comment pouvons-nous définir des niveaux d'accomplissement pour chaque poste ?

Comment pouvons-nous offrir des échelles salariales qui se chevauchent ?

Pouvons-nous instaurer des possibilités de période d'essai ?

First, Break All The Rules
de Marcus Buckingham
et Curt Coffman
ISBN 0-684-85286-1

40| La garantie prolongée : l'entretien

Le cinquième élément important dans le support du gestionnaire à l'employé est la garantie prolongée (l'entretien). De façon à lutter contre les forces de la gravité qui tendent à nous ramener à notre position antérieure, il est important d'effectuer un peu d'entretien dans notre projet bien huilé afin de maintenir sa valeur et son bon fonctionnement au fil du temps. Pour y arriver, le gestionnaire doit respecter ses engagements, maintenir d'excellentes relations et démontrer sa reconnaissance. De manière à rester motivé, le gestionnaire devrait aussi se réserver un moment d'introspection quotidien (en arrivant le matin, au retour du lunch ou avant de quitter pour la maison) sur ses pratiques de gestion autour de trois thèmes : le respect de ses engagements, la qualité des relations avec ses employés et sa reconnaissance du travail bien fait.

Respectez vos engagements (livrez la marchandise). Fournir les outils, la formation, les ressources et la liberté requis fait partie de vos responsabilités de gestionnaire. C'est votre façon concrète de signifier à votre employé que vous tenez à sa réussite et à ses accomplissements, que vous soutenez ses engagements en respectant les vôtres. Il s'agit d'être cohérent. On ne peut d'un côté dire que la mission ou un objectif poursuivis par l'entreprise est important si on ne pose pas des gestes concrets pour l'atteindre. C'est une question de crédibilité. Aussi, en fournissant les ressources requises à l'employé pour mener à bien son projet, le gestionnaire réaffirme sa confiance quant au succès du projet de l'employé et il entretient l'enthousiasme.

Montrer l'exemple n'est pas la chose la plus importante pour influencer autrui. C'est la seule chose.

— Albert Schweitzer

Maintenez des communications informelles. Communiquez juste à temps, tout le temps avec vos employés. Continuer de créer des opportunités de discuter du travail, des rêves, des capacités et des autres intérêts dans un cadre informel à l'extérieur du bureau. S'habituer à de brèves rencontres individuelles planifiées, quotidiennes ou hebdomadaires.

J'ai récemment eu le privilège d'écouter une présentation de Ken Blanchard, consultant américain devenu célèbre suite à la parution de son livre *The Minute Manager*. Dans sa présentation, il encourageait les gestionnaires à accorder 15 à 30 minutes à toutes les deux semaines à chacun de leurs subordonnés en laissant ces derniers proposer l'ordre du jour et contrôler la rencontre. Laissez-le vous parler de ce qui le préoccupe, de ses frustrations, de ses désirs,… Vous croyez que ce n'est pas réaliste? Commencez par 15 minutes par mois, voyez-le comme une période de pause ou invitez l'employé à dîner. Dans un de ses livres, le conférencier motivateur Patrick Leroux cite: «On ne trouve pas du temps pour les choses importantes, on en libère.» N'attendez pas d'avoir le temps, vous n'en aurez jamais assez. Maintenant, imaginez l'impact qu'aura sur vos employés, sur vous et sur votre organisation ces simples rencontres éclair informelles.

Durant les 10 années passées chez un de mes employeurs (une multinationale), j'ai eu seulement 1 ou 2 rencontres avec mon superviseur concernant mon avenir. À titre de gestionnaire, j'étais le seul (sur huit) à avoir pris le temps de rencontrer au moins annuellement chacun de mes employés. Démarquez-vous de tous les autres gestionnaires (et croyez-moi, ils sont très nombreux) qui ne prennent pas le temps de connaître les véritables aspirations de leurs employés. Vous verrez rapidement l'impact de ces rencontres sur la mobilisation de vos jeunes employés qui se sentiront connus, reconnus et appuyés dans leur tâche et leur plan de carrière.

www.kenblanchard.com
www.patrickleroux.com

Carnet de route du gestionnaire

Me réserver un moment d'introspection quotidien sur mes pratiques de gestion:

• respect de mes engagements;

• qualité des relations avec nos employés;

• reconnaissance du travail bien fait.

Réserver une rencontre-éclair informelle de 15 minutes par mois par employé en le laissant proposer le sujet.

41| La puissance du coaching

Le coaching entre collègues: c'est la responsabilité de tous les membres d'une équipe de donner et de recevoir du feedback sur notre contribution individuelle et sur notre façon de collaborer. De nature plutôt individualiste et autonome, j'ai personnellement toujours eu de la difficulté à partager mon opinion avec mes collègues sur notre façon de travailler en équipe. Je ne voulais pas leur donner l'impression de me prendre pour le patron en m'immisçant dans leurs affaires. Mais j'ai vite réalisé que les petits irritants non adressés finissent par se transformer en grands conflits. Ce n'est qu'après avoir découvert la philosophie du coaching tel que présenté par John Yokohama et Joseph Michelli dans leur livre *When Fish Fly* que j'ai pu mettre en application le concept et constater la puissance de cette approche sur la chimie d'une équipe dans l'atteinte d'objectifs communs. Voici un résumé de leur approche:

Buts du coaching
Offrir une opportunité de grandir.
Permettre aux gens de rester alignés les uns avec les autres.
Encourager les autres à prendre charge d'eux-mêmes.

Comment donner du coaching

Inviter les gens à rechercher des alternatives.

On recommande, on suggère mais on n'oblige pas.

S'assurer qu'il y a un contexte de confiance qui nous permet de dire les vraies choses sans risque de représailles.

Demander la permission : chacun a la possibilité d'accepter ou de refuser.

C'est mon interprétation, pas l'absolue vérité.

Sans égard à la hiérarchie ou à l'ancienneté.

Comment recevoir du coaching

Éviter d'être défensif (écouter les leçons plutôt que de les prendre pour des attaques).

Rester ouvert.

Remercier l'autre.

Dans le guide pratique *Mobiliser ses employés avec succès* publié par les Manufacturiers et exportateurs du Québec, une des pratiques gagnantes citées consiste à mettre en place un système de coaching où tous les membres de la direction sont appelés à agir comme coach auprès de cadres de premier niveau.

When Fish Fly de John Yokoyama et Joseph Michelli.

ISBN 1-4013-0061-8

Mobiliser ses employés avec succès par les Manufacturiers et exportateurs du Québec

Carnet de route du gestionnaire

Comment puis-je créer un climat favorable au coaching entre collègues ?

42| Les 10 comportements d'un super équipier

Le prérequis le plus important pour obtenir de bons résultats en équipe est la prédisposition de chaque membre pour la collaboration. Afin de s'en assurer, j'encourage le gestionnaire à rappeler aux participants les comportements à privilégier.

Les 10 comportements d'un super équipier

1) Garder en tête que notre travail est interdépendant avec celui des autres.

2) Contribuer à bâtir la confiance, renforcir la collaboration et supporter le développement et les réalisations de chacun.

3) Éliminer le négativisme et la recherche de coupable.

4) Agir et discuter de manière à créer des rapprochements.

5) Communiquer ouvertement et avec franchise.

6) Reconnaître et apprécier les différentes perspectives.

7) Mettre l'emphase sur les problèmes et non les personnalités.

8) Assumer 100 % de mes responsabilités au sein de l'équipe.

9) Contribuer au meilleur de mes talents, connaissances, habiletés et expérience.

10) Prendre des risques et être innovateur.

Aussi, chaque participant devrait être encouragé à effectuer sa propre autoévaluation de son efficacité personnelle, au sein de l'équipe, basée sur les comportements ci-dessus. Par ailleurs, une discussion franche au sein de l'équipe devrait permettre à un participant d'en rappeler un autre à l'ordre pour un manquement à un de ces comportements. J'ai déjà vu une entreprise qui avait disposé des affiches résumant chacun de ces points d'une manière visuelle et humoristique dans toutes ses salles de réunions.

Afin de créer encore plus d'ouverture pour un feedback franc et honnête, il est souhaitable que l'équipe rédige un guide simple de résolution de conflit: à qui le problème devrait-il être soulevé, à quel moment et de quelle manière? Si tous se mettent d'accord sur ce plan, il sera plus aisé pour quelqu'un de rappeler un collègue à l'ordre plutôt que de laisser la situation s'envenimer.

Carnet de route du gestionnaire

Comment pouvons-nous encourager nos employés à adopter les comportements d'un super équipier?

La chose la plus importante en communication, c'est d'entendre ce qui n'est pas dit.

- Peter F. Drucker

43| Les 3 étapes de préparation pour une réunion efficace

Bien sûr, on ne le redira jamais trop, la communication entre collègues, et entre les employés et les gestionnaires, est essentielle. Le temps et l'efficacité sont aussi des données incontournables pour atteindre les degrés de réussite souhaitée. Je vous propose ici quelques moyens pour que vos temps de communication soient efficaces : améliorer la qualité et l'impact de vos réunions.

L'amélioration de l'efficacité des réunions passe d'abord par une bonne préparation. Voici trois éléments simples à considérer.

3 étapes de préparation pour une réunion efficace

1) **Définir l'objectif de la rencontre.**
   Évitez les rencontres dites informationnelles où des informations sont échangées sans qu'il n'y ait rien à débattre. Privilégiez d'autres moyens : note, courriel, journal interne, babillard, intranet, etc.

2) **Déterminer qui a besoin d'y être.**
   Vous croyez que votre présence n'est pas requise ? N'hésitez pas à en faire part à la personne qui vous a convoqué.

3) **Rotation dans les rôles.**
   Une façon simple d'impliquer davantage les gens et de développer de nouvelles habiletés consiste à permettre aux participants de s'échanger les rôles d'animateur, d'expert invité, de secrétaire ou de minuteur.
   J'ai dernièrement eu la malchance de devoir remplacer la personne assignée comme secrétaire au sein du conseil d'établissement de l'école fréquentée par mes enfants. Quelle lourde tâche ! Les quelques heures que j'ai dû consacrer au compte-rendu m'ont fait réaliser l'ampleur de cette responsabilité (ce qui explique peut-être l'absence de la secrétaire lors de nos deux dernières rencontres…) De plus, j'ai été en mesure de faire un bien meilleur suivi des actions promises à la réunion suivante (soulevant même quelques oublis de la part de l'animateur). Un de mes anciens patrons aimait bien aussi changer les rôles car il me disait que cela lui permettait d'évaluer le niveau de compréhension des membres de l'équipe sur différents enjeux.

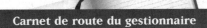

Carnet de route du gestionnaire

Comment pouvons-nous mieux préparer nos réunions ?

- **Définir l'objectif de la rencontre.**

- **Déterminer qui a besoin d'y être.**

- **Rotation dans les rôles.**

44| L'évaluation d'une réunion

Un autre moyen puissant pour avoir des réunions performantes consiste à demander à chaque participant d'évaluer la rencontre à la fin en attribuant une note sur 10 et en exposant ce qu'il aurait dû y avoir pour obtenir un 10? Avec la multiplication exponentielle des réunions, si un participant a l'impression que le groupe perd son temps en discutant de sujets qui devraient être abordés à l'extérieur de la réunion, il devrait être encouragé à le dire. Lors d'une rencontre récente que j'ai eu avec mon Club réseau, la simple formalité de l'évaluation de la rencontre a incité un membre à provoquer un débat qui a duré près de 30 minutes sur la mission véritable de notre équipe. Afin de ne pas trop déborder dans le temps, nous avons décidé de faire de cette discussion le premier élément lors de notre prochaine rencontre. À la rencontre suivante, au moins deux autres personnes ont dit partager un inconfort quant à la tournure de nos réunions. Suite à cette discussion, nous avons établi un nouveau mode de fonctionnement qui fait maintenant consensus. Si nous n'avions pas effectué d'évaluation, je suis convaincu que nous n'aurions pas eu cette discussion si tôt (ou peut-être même jamais) et que 2 ou 3 membres auraient cessé de s'engager (physiquement ou mentalement). Je suis sorti de cette rencontre plus convaincu que jamais de l'importance d'évaluer chaque rencontre à la fin.

Combien de fois êtes-vous sortis frustré d'une réunion en n'ayant même pas eu la chance de dire au groupe ce qui vous dérangeait?

Dans son excellent livre *The Five Dysfunctions of a Team*, Patrick Lencioni illustre très bien les cinq obstacles à un excellent travail d'équipe :

---

5 obstacles au travail d'équipe

1) **L'absence de confiance.** Les participants ne veulent pas se montrer vulnérables et ouverts à partager leurs erreurs et leurs faiblesses.

2) **La peur des conflits.** Un faux climat d'harmonie s'installe et tue les véritables débats de fond.

3) **Le manque d'engagement.** Les gens s'engagent rarement dans un projet sur lequel ils n'ont pas eu la chance de livrer le fond de leur pensée.

4) **L'évitement des responsabilités.** Sans plan d'action clair, il est difficile pour les participants de se "challenger" sur le non-respect des engagements.

5) **Le manque de focus sur les résultats.** Les participants placent leurs intérêts personnels (statut, ego, carrière) avant ceux du groupe.

Cette liste peut même être utilisée pour aider un employé à cerner ses blocages, lors des rencontres individuelles.

Un autre moyen d'améliorer l'efficacité des réunions consiste à faire un bon suivi des décisions qui y ont été prises. À cet effet, plutôt que d'avoir un secrétaire qui complète un compte-rendu, je suggère que tous les participants complètent une fiche de discussion/décision qui sera mise en commun par la suite. Voici un modèle simple qui donne de bons résultats :

Discussion/décision	Personne responsable	Échéance

Carnet de route du gestionnaire

The Five Dysfunctions of a Team
de Patrick Lencioni
ISBN 0-7879-6075-6

Demander à chaque participant d'évaluer chaque rencontre à la fin en attribuant une note sur 10.

Consulter les participants sur ce qu'il faudrait améliorer pour avoir 10.

45| Nos alliés à l'interne

Une façon classique mais efficace pour un gestionnaire de favoriser le support entre collègues consiste à tenir une brève réunion en début de chaque journée. Ce peut être l'occasion d'évaluer la charge de travail des individus et d'en effectuer un partage plus équitable au sein de l'équipe. Ce peut aussi être l'occasion de rappeler le défi du jour ou d'informer les gens d'une situation particulière (bris majeur d'équipement durant la nuit, absence d'un employé, visite d'un client important, etc.) Ce peut aussi être un bon moment pour faire le point sur la progression de l'équipe vers l'atteinte de ses objectifs. Ce peut être aussi simplement l'occasion de dire bonjour et de souhaiter bonne journée à vos employés.

À la blague, je me suis déjà posté à l'entrée de mon département pour accueillir les employés un peu à la façon Wal-Mart : « Bonjour et bienvenue chez XYZ inc. Nous sommes fier de vous compter dans notre équipe. Je vous souhaite de passer une journée du tonnerre ! Le tout accompagné d'un "High Five". C'était pour rire bien sûr mais à chaque fois j'étais surpris de l'impact réel sur le moral des employés d'un geste aussi simple et qui est loin des grands concepts de management. L'idée est de garder cela simple, bref et amusant.

Un autre moyen de favoriser les échanges et le support au sein de l'équipe consiste à diffuser la "To-do List" de tous les membres (incluant les promesses faites). Cela peut prendre simplement la forme d'un tableau partagé et affiché électroniquement ou sur papier.

Employé	Activités en cours ou à venir	Ressources requises	Échéancier
Nathalie R.	Bilan des livraisons pour le dossier x	Superviseur expédition (30 min.)	2 février
	Transfert du dossier y à Ginette	Ginette L. (60 min.)	Semaine du 5 février
	…	…	…
Jean-Pierre R.	Préparer la rencontre de pré-production du client zz inc.	Superviseur (30 min.)	Semaine du 5 février
	…	…	…

Je trouve que ce simple outil est très proactif. Cela peut permettre à un employé d'ajuster l'échéancier de ses activités en fonction de la charge de travail des ressources requises et cela évite aussi la mauvaise surprise de se faire dire à la dernière minute par une personne qu'elle n'est pas disponible alors que l'employé avait sollicité son support depuis un certain temps déjà.

Un autre moyen d'encourager l'entraide consiste à créer un répertoire de l'expertise disponible à l'interne pour référence.

Employé	Expertise	Autres expériences	Principaux clients ou collaborateurs
Sylvain M.	Expédition Douanes Manutention	Conduite de chariot élévateur Supervision de personnel syndiqué Instructeur de hockey Musicien …	Cie de transport xyz inc. Agence de dédouanement abc inc. Chariots élévateurs inc. …
Diane C.	Service à la clientèle	Secrétariat Certificat en traduction Attestation de formation sur Excel Cuisinière …	Sous-traitant LKJ inc. Agence de publicité Y inc. …

Cet outil a différentes fonctions. Il pourrait par exemple permettre à un représentant de découvrir qu'un des employés de l'entreprise a déjà travaillé chez un de ses prospects. Cela pourrait permettre à un autre employé qui a oublié une fonctionnalité d'un logiciel de faire appel à un collègue qui a déjà été un expert dans ce domaine. Ce qui rend cet outil encore plus intéressant, c'est qu'on finit toujours par y découvrir des choses intéressantes sur nos collègues.

Un autre petit truc pour sauver du temps dans les communications à l'interne à l'aide des courriels consiste à utiliser une ligne de sujet unique pour un projet donné et d'établir au sein de l'équipe un délai de réponse standard accepté de tous. Cela facilite le classement des courriels entrant par sujet et cela diminue le stress relativement aux délais de réponse. Aussi, je suggère de joindre à chaque demande une suggestion sur la manière d'y répondre (courriel, message téléphonique, mémo écrit, appel conférence, réunion, etc.) Ex.: « Inutile de me répondre. Je considère que ceux qui ne m'ont pas répondu seront présents à la rencontre. » Lorsqu'on répond à une demande d'aide provenant d'un collègue, je propose de joindre une date tentative d'implantation. Ex.: « Je pourrai te fournir le document la semaine prochaine. » Avec ces petits trucs, on évite les pertes de temps dues à la multiplication des messages incomplets.

Carnet de route du gestionnaire

Organiser une brève réunion en début de chaque journée (5 min.)

Diffuser à l'interne la "To-do List" de tous les membres de l'équipe.

Créer un répertoire de l'expertise disponible à l'interne pour références.

Traitez les gens
comme s'ils étaient
ce qu'ils devraient
être, et vous les
aiderez ainsi
à devenir ce
qu'ils peuvent
vraiment être.

— Johann Wolfgang
von Goethe

46| Démontrer sa reconnaissance

N'oubliez pas que l'absence de reconnaissance tue le comportement que l'on désire voir se multiplier. Le gestionnaire qui désire vraiment obtenir un rendement hors du commun de ses employés doit apprendre à reconnaître les bons coups. Pour créer un haut niveau d'enthousiasme au sein d'une équipe, il ne faut pas seulement leur dire qu'on est content, il faut le montrer. La clé ici c'est authenticité. Il faut que les employés perçoivent que vous voulez les remercier sincèrement du fond du cœur et non pas seulement leur donner une carotte afin de les forcer à en faire encore plus la prochaine fois. N'essayez pas de toujours faire les choses en grand : il n'est pas nécessaire de faire monter le grand chapiteau et d'offrir un concert rock privé aux employés. Rappelez-vous cependant que l'implication de la haute direction sera toujours perçue comme une marque de reconnaissance supplémentaire. Il s'agit simplement de créer de fréquentes occasions de célébrer qui soient amusantes et vraies. Donnez aux employés tout le crédit pour les résultats : si vous prenez soin de vos employés, ces derniers prendront soin de vous et vos intérêts mutuels seront rencontrés.

Dans son excellent livre *The X-Factor*, Ross R. Reck fournit plusieurs suggestions de marques de reconnaissance :
- Montage video ou collage de photos pour se rappeler les faits saillants d'un projet : événements cocasses, excitants, réussites, échecs, défis, etc.
- Lettre personnelle aux familles des employés pour leur dire qu'ils devraient être fiers de sa participation à l'atteinte de résultats extraordinaires.
- Souligner les anniversaires, les congés, les promotions, les naissances, les départs à la retraite, etc.
- Publiciser les réalisations de la semaine.

Notre plus grande peur n'est pas que nous soyons inadéquats, c'est que nous soyons puissants au-delà de ce qui est mesurable. Jouer petit ne sert pas le monde.

- Nelson Mandela

Ne traitez pas nécessairement les gens comme vous voudriez être traité. Rappelez-vous que nous sommes tous uniques. Certains préfèrent être félicités en privé plutôt qu'en public, d'autres privilégient une note écrite plutôt qu'un commentaire verbal. Considérez aussi que l'objectif n'est pas seulement de renforcir la relation entre le gestionnaire et l'employé mais aussi entre ce dernier et ses collègues.

Respectez le principe d'équité. Pas équité dans le sens de traiter tout le monde d'une manière égale mais plutôt d'une manière juste. Demandez à un représentant quels sont ses clients importants. La réponse ne devrait pas trop tarder. Il devrait en être de même si on vous demandait quels sont vos employés les plus importants. Comme le représentant offre des privilèges particuliers à ses meilleurs clients, il devrait en être de même pour vos employés de choix. Je sais que ça peut vous paraître injuste mais demandez-vous pourquoi votre collègue aurait droit au même boni que vous en fin d'année si vous atteignez tous vos objectifs et lui aucun…

D'une manière plus informelle, il est important de se rappeler qu'un renforcement positif doit être fourni le plus rapidement possible suivant le comportement qu'on veut encourager et qu'un compliment ne devrait pas être suivi d'une correction. De grâce, sortez monsieur Ouimet (Oui, mais…) de votre tête et évitez la combinaison suivante : «Beau travail Nathalie mais j'aurais aimé une présentation un peu plus dynamique.» Dites simplement pourquoi la contribution de cet employé est particulièrement appréciée cette fois-ci.

Je me souviens d'avoir participé, à titre de gestionnaire, à une série de présentations faites aux employés de notre unité. Des trois présentateurs, j'étais le seul qui avait souligné les réalisations de ses équipes sans laisser sous-entendre qu'on aurait pu faire mieux. Évidemment, nous aurions pu faire plus et ça, ils le savaient déjà. L'objectif de la rencontre, je croyais, était de favoriser les échanges avec les employés et de souligner leurs efforts. Après avoir entendu le grand patron leur parler pendant presque 30 minutes des mauvais coups et des sacrifices à faire pour demeurer compétitif, la plupart sont repartis avec le sentiment d'être une bande d'incompétents.

The X-Factor de Ross R. Reck
ISBN 0-471-44389-1

Carnet de route du gestionnaire

Par quels moyens pouvons-nous davantage montrer notre reconnaissance à nos employés ?

Quels sont nos meilleurs employés et quels privilèges pouvons-nous leur offrir pour souligner leurs efforts ?

Ce ne sont pas les espèces les plus fortes ou les plus intelligentes qui survivent mais les plus rapides à s'adapter aux changements.

— Charles Darwin

Conclusion

Tout au long de ce livre, nous avons parlé de l'importance des communications, que ce soit pour établir les relations, ou pour accompagner votre employé dans l'une ou l'autre étape de sa vie professionnelle. Il reste tout de même quelques principes élémentaires à considérer pour faire vraiment la différence et attirer, motiver et conserver les jeunes talents. Pour susciter chez vos jeunes employés une envie débordante de se dépasser, voici encore quelques principes hautement prioritaires :

Rester courtois et respectueux vis-à-vis votre employé et son environnement en toutes circonstances. Cette jeune personne est plus qu'une apparence, un comportement ou un langage, son être et son bien-être participent à votre succès comme au sien ; vous êtes reliés par un lien mutuellement nécessaire. Les employés ne sont pas une sorte de ressources à utiliser ou à exploiter comme les ressources financières ou techniques, même si on parle de « ressources humaines ». Ce sont des personnes. Comme vous, elles ont une famille, des rêves et des limites. Ces gens sont votre seule vraie source de créativité, d'innovation et de progrès.

Les règles du savoir-vivre ne vous apporteront que des bénéfices. Soyez le premier à saluer et à donner la main. Dire « s'il vous plaît, merci, bonjour, est-ce que je peux t'aider ?, excuse-moi, est-ce que je peux te parler quelques instants ? » sont plus que des formules. Une utilisation régulière vous en démontrera l'effet magique. La recrudescence des activités de formation sur l'étiquette en affaire n'est sûrement pas étrangère aux résultats qu'elle rapporte…

Privilégier l'être plutôt que le faire ou l'avoir. Le respect place la personne au centre des relations. Cela n'a pas toujours été le cas. Pendant longtemps, les grandes entreprises se sont centrées sur le « faire », au détriment de l'employé. Faire plus avec moins était le but fixé, on a mis l'accent sur les équipements pour faire plus et plus vite, l'ère de l'industrialisation dictait les moyens. D'autres approches se sont centrées sur l'« avoir » : avoir plus de ressources, avoir les meilleures cotes, avoir les meilleurs résultats, etc. L'ère de la productivité et de la performance augmentait les avoirs, symboles de la réussite.

Aujourd'hui, on réalise que les entreprises les plus performantes tiennent encore compte du faire et de l'avoir, mais pas au détriment de la personne. Elles se préoccupent de l'« être » parce que les jeunes employés veulent « être » heureux au travail, ils sont en quête de bien-« être ». Leurs parents travaillaient toute leur vie au même endroit et se faisaient mourir à la tâche, à « faire » ce qui était demandé. Les syndicats ont fait avancer leur situation vers l'« avoir » : avoir des meilleurs salaires, avoir des bonnes conditions de travail, etc.

Les jeunes n'imitent pas leurs aînés. Pour eux, « être » reconnu et apprécié est important, « être » équilibré dans sa vie personnelle et professionnelle est prioritaire, « être » passionné par un métier, cela prime sur un salaire (l'« avoir ») ou sur la performance (le « faire »).

Comme gestionnaire, vous avez donc avantage à « être » en relation plutôt que de « faire » le patron ou d'« avoir » de l'autorité. Organisez-vous pour que votre employé reconnaisse en vous quelqu'un qui « est » intègre et cohérent, qui « est » humain aussi et qui « est » au service du progrès de chacun et non au service de l'avoir ou du faire d'une grosse boîte. Vous serez surpris de réaliser que le faire et l'avoir ne disparaissent pas mais deviennent des conséquences de l'épanouissement de chacun plutôt qu'un but en soi.

Une histoire relate les attitudes différentes des travailleurs dans leur perception de leur labeur. C'est l'histoire des 4 tailleurs de pierres, à qui un observateur demandait ce qu'ils faisaient et qui répondaient:

Je taille des pierres

Je nourris mes enfants

Je bâtis une cathédrale

Je rends gloire à Dieu

Lequel de ces employés risquerait de rester le plus longtemps dans votre entreprise? Celui qui exécute sans se poser de questions (faire)? Celui qui y trouve ses avoirs nécessaires (avoir)? Celui qui participe à une grande œuvre (appartenance)? Ou celui qui trouve dans son travail un sens à sa vie (être)?

Plus le sens du travail est profond, plus la mobilisation est intense et productive. C'est la différence entre l'obligation et la passion, la différence entre la survie et l'épanouissement, entre l'existence ou le rayonnement.

Ne vous inquiétez pas si vous bougez lentement, inquiétez-vous si vous restez immobile.

— Proverbe chinois

Ce n'est pas ce que l'on sait qui compte mais plutôt ce que l'on fait avec ce qu'on sait.

- Inconnu

Bibliographie

BUCKINGHAM, Marcus, et Curt COFFMAN.
First, Break All the Rules, Simon & Schuster, 1999, 271 p.

CANTOR, Dorothy. *What Do You Want to Do When
You Grow Up?*, Little, Brown, 2001, 256 p.

COLLINS, Jim, et Jerry I. PORRAS. *Built to Last*, HarperCollins
Publishers, 2002, 342 p.

COLLINS, Jim. *Good to Great*, HarperCollins Publishers
2001, 300 p.

FOOT, David K. *Entre le boom et l'écho 2000*, Éditions du Boréal,
1999, 387 p.

GLADWELL, Malcolm. *Intuition*, Éditions Transcontinental,
2005, 254 p.

LENCIONI, Patrick. *The Five Dysfunctions of a Team*,
Jossey-Bass, 2002, 230 p.

LUNDIN, Stephen C., Harry PAUL, et John CHRISTENSEN.
Fish! Michel Lafon, 2001,109 p.

MARTIN, Carolyn A., et Bruce TULGAN. *Managing the
Generation Mix, From Collision to Collaboration*, HDR Press,
2002, 121 p.

MAXWELL, John C. *Les 17 lois infaillibles du travail en équipe*,
Groupe International d'Édition et de Diffusion, 2002, 264 p.

MAXWELL, John C. *Les 21 lois irréfutables du leadership*,
Groupe International d'Édition et de Diffusion, 2002, 227 p.

Mobiliser ses employés avec succès, Manufacturiers et
exportateurs du Québec, 2006, 32 p.

MORENCY, Pierre. *La puissance du marketing révolutionnaire*,
Éditions Transcontinental, 2001, 251 p.

RECK, Ross R. *The X-Factor*, John Wiley & Sons, 2001, 192 p.

SAMSON, Alain. *Les boomers finiront bien par crever*,
Éditions Transcontinental, 2005, 164 p.

TREMBLAY, Michel. *La mobilisation des personnes au travail*,
Gestion, 2006, 730 p.

YOKOYAMA, John, et Joseph MICHELLI. *When Fish Fly*,
Hyperion, 2004, 158 p.

ZIGLAR, Zig. *Top Performance*, Baker Book House Company,
2003, 233 p.

www.affairesplus.com

www.aon.ca

www.bell-nordic.com

www.canadas50best.com

www.ccirs.qc.ca

www.cima.ca

www.cmpdifference.com

www.conference-board.org

www.crop.ca

www.defimeilleursemployeurs.com

www.educ.csmv.qc.ca/charles_bruneau

www.esg.uqam.ca

www.fido.ca

www.fishphilosophy.com

www.fsu.edu

www.harvardbusinessonline.hbsp.harvard.edu

www.highpoint.edu

www.instituthippocrate.com

www.ivanhoecambridge.com

www.kenblanchard.com

www.legermarketing.com

www.lesaffaires.com

www.magazinepme.com

www.mercuriades.com

www.nidoqubein.com

www.orhri.com

www.pacini.ca

www.patrickleroux.com

www.pierremorency.com

www.pikeplacefish.com

www.psychologicalassociates.com

www.quebecinc.ca

www.rrq.gouv.qc.ca

www.stanford.edu

www.statcan.ca

www.ulaval.ca

www.weforum.org

www.ziglar.com

Bon de commande

3 MOYENS FACILES DE COMMANDER

Par Internet :   www.posteritas.ca

Par la poste :   Posteritas
1275, du Boisé
Boucherville (Québec)
J4B 8W5

Par télécopieur :   450-449-0304

Veuillez me faire parvenir _____ copie(s) du livre Génération Y : Attirer, motiver et conserver les jeunes talents à 26,50 $ (25 $ + TPS).

Ajoutez 4,50 $ (taxe incluse) pour couvrir les frais de livraison de chaque exemplaire commandé.

Établir le chèque à l'ordre de Posteritas.

Nom : _____

Adresse : _____

Ville : _____

Code postal : _____   Téléphone : (____) ____ - _____

Courriel : _____

Carte de crédit : Numéro : _____

_ VISA   _ MASTERCARD   Expiration : _____

PRIMES : Visitez le www.posteritas.ca

① Entrevues audio exclusives avec :

Kazimir Olechnowicz, Président-directeur général CIMA +

Pierre Marc Tremblay, Président et Chef de la direction Pacini

② Recueil des 52 citations les plus inspirantes

Faites craquer les jeunes de la génération Y pour votre entreprise !

À titre de conférencier professionnel, **Stéphane Simard** anime des ateliers dynamiques destinés aux gestionnaires en entreprise.

Contactez-nous pour découvrir comment créer un milieu de travail vibrant, enrichissant et performant.

514-567-3664 | ssimard@posteritas.ca